手島郁郎

ロマ書講話 下巻

ΠΡΟΣ ΡΩΜΑΙΟΥΣ

13 οὐ θέλω δὲ ὑμᾶς ἀγνοεῖν,
ἀδελφοί, ὅτι πολλάκις προ-
εθέμην ἐλθεῖν πρὸς ὑμᾶς, καὶ
ἐκωλύθην ἄχρι τοῦ δεῦρο,
ἵνα τινὰ καρπὸν σχῶ καὶ ἐν
ὑμῖν καθὼς καὶ ἐν τοῖς λοιποῖς
ἔθνεσιν. 14 Ἕλλησί τε καὶ
βαρβάροις, σοφοῖς τε καὶ ἀνο-
ήτοις ὀφειλέτης εἰμί· 15 οὕτω
τὸ κατ᾽ ἐμὲ πρόθυμον καὶ ὑμῖν
τοῖς ἐν Ῥώμῃ εὐαγγελίσασθαι.
16 Οὐ γὰρ ἐπαισχύνομαι τὸ
εὐαγγέλιον τοῦ Χριστοῦ·
δύναμις γὰρ Θεοῦ ἐστιν εἰς
σωτηρίαν παντὶ τῷ πιστεύοντι,
Ἰουδαίῳ τε πρῶτον καὶ Ἕλ-
ληνι. 17 δικαιοσύνη γὰρ Θεοῦ ἐν
αὐτῷ ἀποκαλύπτεται ἐκ
πίστεως εἰς πίστιν, καθὼς
γέγραπται· *ὁ δὲ δίκαιος ἐκ
πίστεως ζήσεται.* 18 Ἀποκαλύ-
πτεται γὰρ ὀργὴ Θεοῦ ἀπ᾽ οὐ-
ρανοῦ ἐπὶ πᾶσαν ἀσέβειαν

手島郁郎文庫

ロマ書を講じる手島郁郎(1968年　代々木幕屋)

ローマに通じるアッピア街道

――序に代えて――

贖《あがな》いの経験

使徒パウロは、

「クリスチャンとは、野生のオリーブが枝を切られて、実り豊かな良いオリーブの根に接がれ、その養分にあずかるような人々のことである」(ロマ書一一章一七～二四節)と言っています。

しかり、生けるキリストの根を台木にして、それに我らが接《つ》ぎ木《き》される時に、どんなに枯《か》れかかった人生も、新鮮《しんせん》に息吹《いぶ》きはじめ、どんなに劣等《れっとう》な品種と見ゆる人間も、実り豊けく、かぐわしい人柄《ひとがら》に一変するのです(ヨハネ伝一五章五節)。

すなわち、人生に挫折《ざせつ》し傷《きず》つきひるむ箇所《かしょ》こそ霊の接触点《せっしょくてん》なのであって、その傷口からキリストの御霊《みたま》の血汐《ちしお》がその人の魂に注《そそ》ぎ込《こ》まれるのであります。たとえ、神が、その愛する子らに鋭利《えいり》な刃物《はもの》で人生の切開手術をなされることがあっても、人生の受難《じゅなん》にひるんではなりません。

もし外部から迫害《はくがい》の圧迫《あっぱく》が加われば加わるほど、我らの内心はキリストに密着《みっちゃく》し、その御血汐《おんちしお》(聖霊)を注がれる機会とはなるから、圧力や迫害を恐《おそ》れてはなりません。

それで主イエスは、

「我はぶどうの木、汝《なんじ》らは枝である。汝らが多くの果実をむすぶように、と枝を切り潔《きよ》める」と言いたまいました(ヨハネ伝一五章)。

この接《つ》ぎ木《き》の切ない法則こそ、キリスト人に通有する贖《あがな》いの経験でありましょう。

一九六〇年五月

手島郁郎

ロマ書講話　下巻

目次

目次

——序に代えて—— 1
第一七講　御霊の法則の中に生きる 8
第一八講　神の子となる光栄 32
第一九講　進化の絶頂に立つ者 58
第二〇講　霊言の力 74
第二一講　神の選びの計画 98
第二二講　残れる民の秋近し 117
第二三講　聖書の歴史観 138
第二四講　使徒パウロの悲願 165

第二五講　異邦人の時満ちて……184
第二六講　神の憐れみに生きる人……196
第二七講　中動態の信仰……212
第二八講　愛には偽りがない……228
第二九講　上よりの権威に従え……254
第三〇講　愛こそ律法の完成……271
第三一講　人の弱きを負う心……281
第三二講　ロマ書の結論……312
補講　Ⅰ　神の御意をわきまえるには……329
補講　Ⅱ　武士道的な宗教……339
編者あとがき……347

ロマ書講話　下巻

手島郁郎

〔第一七講　ロマ書八章一〜一一節〕

1こういうわけで、今やキリスト・イエスにある者は罪に定められることがない。2
なぜなら、キリスト・イエスにあるいのちの御霊《みたま》の法則は、罪と死との法則からあなた
を解放したからである。3律法《りっぽう》が肉により無力になっているためになし得なかった事を、
神はなし遂《と》げて下さった。すなわち、御子を、罪の肉の様《さま》で罪のためにつかわし、肉に
おいて罪を罰《ばっ》せられたのである。4これは律法の要求が、肉によらず霊によって歩くわ
たしたちにおいて、満たされるためである。
5なぜなら、肉に従《したが》う者は肉のことを思い、霊に従う者は霊のことを思うからである。
6肉の思いは死であるが、霊の思いは、いのちと平安とである。7なぜなら、肉の思い
は神に敵するからである。すなわち、それは神の律法に従わず、否《いな》、従い得ないのであ
る。8また、肉にある者は、神を喜ばせることができない。
9しかし、神の御霊があなたがたの内に宿っているなら、あなたがたは肉におるので
はなく、霊におるのである。もし、キリストの霊を持たない人がいるなら、その人はキ
リストのものではない。10もし、キリストがあなたがたの内におられるなら、からだは

罪のゆえに死んでいても、霊は義のゆえに生きているのである。11もし、イエスを死人
の中からよみがえらせたかたの御霊《みたま》が、あなたがたの内に宿っているなら、キリスト・
イエスを死人の中からよみがえらせたかたは、あなたがたの内に宿っている御霊によっ
て、あなたがたの死ぬべきからだをも、生かしてくださるであろう。

第一七講

御霊《みたま》の法則の中に生きる

ロマ書八章一〜一一節

キリスト教の信仰が何であるかを、最もよく解き明かしたものが「ロマ書」であるといわれます。この書でパウロは、神に救われるということが何であるかを、諄々《じゅんじゅん》と説いております。

今日は、そのロマ書の中心である八章に入りますが、初めてお聞きになるかたもおられますので、これまで学んだことを、もう一度、復習の意味で申します。

聖霊によって注がれる愛

三章までをお読みになるとわかりますように、「人間は神の怒《いか》りの下《もと》にある」と、日本人には聞き慣れぬ耳障《みみざわ》りな言葉があります。

神は、人類がこのままでよいとは決して考えておられない。もっと進化し、もっと霊化されなければならぬ、とたまらないお気持ちでおられる。それを、「神の怒《いか》り」という言葉で表しておりますが、この神の怒りは人間の怒りと違《ちが》って、聖なる不満を表す言葉です。

しかしながら、その怒りの下《もと》にある人間を、神は救おうとして、愛しておられる。その愛が端《たん》的《てき》に現れたのは、イエス・キリストの十字架上における一方的な愛においてであります。キリストが、血を流してでも人間の罪を救おうとされるお姿《すがた》に、神の愛を見ることができます。私たちには、神の前には怖《こわ》くて出られないという感情がありますが、それを乗《の》り越《こ》えしめてくれるのは、神の愛であります。

この愛は、ただ神様が人間を愛しているという意味だけの愛ではない。五章五節に、「わたしたちに賜《たま》わっている聖霊によって、神の愛がわたしたちの心に注がれている」とあるように、聖霊によって、神の愛の生命《いのち》が私たちの心に注がれてくる経験がある。

その時に、私たちはほんとうに神の怒りから救われる世界に入ります。

聖霊に満たされると、「ああ、もったいない、おおけなくも自分は神の愛児である」という感情をもつ。これは私たちがひとしく、キリストの弟子《でし》になった時からもっておる気持ちです。

今のキリスト教が説くように、何か教理を信じたら救われるなどということは、パウロはどこにも書いておりません。ロマ書を読めば、いちばんよくわかることです。しかしながら、そういう霊的体験のない神学者や牧師たちは、教理的にしか理解できない。彼らは理屈《りくつ》を信じている。人間の魂は、理屈では救われません。魂の中に新しい天の愛の生命《いのち》が流《なが》れ込《こ》んでくる経験に入らなければ、救われるものではない。これは、お互《たが》いが多少とも経験してきたことです。

愛は神の実存的《じつぞんてき》な生命である

かつての私は、愛のない冷ややかな人間で、愛そうと思っても、人を愛することができませんでした。それは、愛そのものが私の胸《むね》の中になかったからでした。しかし、神の愛の生命が少しでも投ぜられた時に、ほんとうに同信の兄弟姉妹たちの魂を熱愛する愛、伝道者にとっていちばん大事なものが与《あた》えられました。

私たちを神の怒《いか》りから救うものは、この愛の生命です。

神の霊的な愛の生命が、一滴《いってき》でも私たちの胸に注いできたら、私たちは救われるんです。

人から嫌《いや》なことをされたら、やっぱり気持ちが悪い。いつまでも濁《にご》った心の状態が続きます。それで、人を憎《にく》んだりします。だが、ひとたび聖霊の愛が一滴でも注がれると、たちまちに清められて、その敵する者が悔《く》い改《あらた》めて立ち帰ることを願うような愛が湧《わ》き出《だ》してくるものです。

このように、神の愛が注がれてくるという経験は、倫理《りんり》としての愛ではないことがおわかりになると思います。愛さねばならぬから愛するというような、そのような義務的な愛ではない。キリストの血が、すなわち聖霊が、神の愛を持ち運んでくるんです。心の中にドクドクと愛が注がれてくる。神の愛は抽象的《ちゅうしょうてき》なものではありません。実存的《じつぞんてき》なものです。

キリストのバプテスマ

さらに六章を読んでみると、「神様が怒《いか》っておられるのは、人間が罪深いからである」ということを論《ろん》じている。

ここで「罪」と言っているのは、何か法律《ほうりつ》を犯《おか》すというようなことではありません。神に背《そむ》き反逆する心、神がなくても生きられると思う心のことです。この生まれながらの人間の罪というものから、どうしたら救われるか。六章三節を読むと、

「キリスト・イエスにあずかるバプテスマを受けたわたしたちは、彼の死にあずかるバプテスマを受けたのである」と書いてある。「バプテスマ」というのは「浸《ひた》すこと」という意味ですが、キリスト・イエスの中にとっぷり浸されるバプテスマというものがある。それは、教会で言う水のバプテスマ(洗礼《せんれい》)とは違《ちが》うのであって、キリストの聖霊に浸されるときに、古い肉なる自分が死んでしまうバプテスマである。

実に、大死《だいし》一番《いちばん》して新生するようなバプテスマがある、ということです。

＊大死一番…己《おのれ》を捨《す》てて、神のために一身を捧《ささ》げること。元は禅宗《ぜんしゅう》の言葉。

死んだ者はもう感覚がないように、罪に死んでしまったら、罪も誘惑《ゆうわく》することができません。そのくらいに死にきった人間になることが救いなのだということを、パウロは説いています。

これは、聖霊のバプテスマという経験がない者には理解できないことです。西洋のキリスト教は、ただ水の洗礼《せんれい》で救われると思っているが、そんなことではありません。初代教会で言われたバプテスマは、聖霊のバプテスマです。これを求めることが原始福音です。このバプテスマがあるところ、ほんとうに義の実を結びます。

律法《りっぽう》からの解放

さらに七章で、パウロは律法からの解放ということを説きます。

神様は、そのご意志に沿《そ》う、理想的な人間ができたら満足なんです。そのために、多くの民《たみ》の中からユダヤ民族を選び、律法をお与《あた》えになりました。律法を守って生きたら神様に祝福される。その祝福された状況《じょうきょう》を見たら、全人類が神様に恵まれる道を歩こうとするに違《ちが》いない。

こうして選民として選ばれたのが自分たちであるという思想を、ユダヤ人はもっています。

使徒パウロ（モザイク画）

　ところが、そのユダヤ人がいっこうに立派《りっぱ》でない。なぜかというと、人間には神のように生きる力がないからです。人間は肉であって、肉は罪に染《そ》まりやすい。神に背《そむ》きやすい動物的性質をもっておるものであって、立派であれよと言われても、立派になれない。その結果、「律法《りっぽう》そのものは聖なるものであり、戒《いまし》めも聖であって、正しく、かつ善《ぜん》なるものである」（七章一二節）にもかかわらず、律法によって、いかに人間が罪深いかを思い知らされることになってしまった。

　それでパウロは、七章一四節で、

「わたしたちは、律法は霊的なものであると知っている。しかし、わたしは肉につける者であって、罪の下《もと》に売られているのである」と叫《さけ》んでいます。奴隷《どれい》のように罪という主人に売られて、どうにもあがきがとれないということです。

　律法を、すなわち神の要求を満たすなどということは、とてもできない。身体《からだ》の弱い人が、困《こん》難《なん》な道を歩けと言われてもできません。それは自分自身に力がないからです。理想が高ければ高いほど、目標が大きければ大きいほど、自分の無力を悟《さと》るわけです。神が聖であればあるほど、人は罪を悟《さと》ります。

では、この律法《りっぽう》から救われるために、どうしたらよいか。

パウロは、

「古い文字《もんじ》(律法)によってではなく、新しい霊による」(七章六節)と言っている。

聖霊が注がれて回心してみると、罪と戦って血を流してでも勝とうとするような力が湧《わ》いてくるんです。キリストによって勝ちうるのだ、とはっきりするようになる。これが大事です。

これがなかったら、人間は罪に勝てません。キリストの恵みというか、キリストの御霊《みたま》が私たちに宿るときに、神の律法を満たすことができるなあと思うんです。

ここまでずっとパウロが論《ろん》じておることは、律法によっては人間は義とされないということです。神の律法、これは立派《りっぱ》です、善《ぜん》です。しかし、

「律法を行う者が、義とされる」(二章一三節)のであって、行なうことができない自分は、結局救われることはない。人間というもの、それ自体に根本的な欠陥《けっかん》があることを、まざまざと知らしめられる。その欠陥をどうやったら克服《こくふく》できるのか。

それは、キリストです。聖霊の働き、新しい霊によるのです。

それでは八章に入ります。

キリストにある者は罪に定められない

こういうわけで、今やキリスト・イエスにある者は罪に定められることがない。なぜなら、キリスト・イエスにあるいのちの御霊《みたま》の法則は、罪と死との法則からあなたを解放したからである。　　（八章一、二節）

「αρα《アラ》　こういうわけで」という語は、「さて、そこで」という意味です。「そこで」というのは、七章からずっと論《ろん》じ来たった次第《しだい》をいうんでしょう。そこから、「今やキリスト・イエスにある者は罪に定められることがない」という結論が引き出されるというわけです。

「ουδεν《ウーデン》 κατακριμα《カタクリマ》　罪に定められることがない」の「ουδεν《ウーデン》」は、「何も～ない」という強い打消です。「κατακριμα《カタクリマ》　罪に定められること」の原意は、「処罰《しょばつ》、断罪、有罪判決」です。ですから、「有罪の宣告《せんこく》は絶対にない」という意味です。

八章はロマ書のクライマックスであるといわれておりますが、その初めにパウロが宣言しているのは、「キリストにある者は、罪ありとされたり、処罰《しょばつ》されたりすることはない、絶対にないのだ」ということです。どうして処罰されないか。人間は、救いようがなかったら、処罰されて殺される以外にないはずです。しかし、今は悪くても、更生《こうせい》する見込《みこ》みがあるならば助けるのが法律《ほうりつ》です。

ここで、「εν Χριστω《エン クリストー》 キリストにある」というのは、「キリストの中にある、キリストに捉《とら》えられている、キリストに捉えられ、キリストと一つになって生きている」という意味で、パウロ特有の用語です。

キリストに捉えられ、キリストと一つとなって生きている者は、処罰されることはない。なぜなら、キリスト・イエスにある生命《いのち》の御霊《みたま》の法則（νομος《ノモス》）が、罪と死との法則から解放するからである。

＊「νομος《ノモス》」は、「律法、法、法則、原理」などと訳《やく》される語。聖書では、ほとんど「律法」と訳されている。ここでは、「必ずそうなること（法則）」という意味で使われている。

私たちがキリストに抱《いだ》かれるというか、キリストの中にあらしめられると、生命の御霊の法則が働いて救われる。キリストとは、生命を与《あた》える霊なんです。コリント前書にも、「最後のアダム（キリスト）は命を与える霊となった」（一五章四五節）と書いてあります。

御霊《みたま》の法則の力

罪と死、神の怒《いか》りということを論《ろん》じてきましたパウロは、ここでもういっぺん、何が私たちを救うのか、根本的なことを言っています。

生命《いのち》の御霊の法則が、罪と死の法則から解放するというのは、どういうことか。

たとえば、より強い法律《ほうりつ》が出てきたら、弱い法律は廃《すた》ります。すなわち憲法《けんぽう》が変わったら、民法も商法もすべて変わる。変わらないでも解釈《かいしゃく》が変わります。憲法は基本法です。基本法に反したいろいろな法律というものは、すべて変更《へんこう》される。法律論的に言うならばですよ。

ですから、キリスト・イエスがもちたもうた、あの生命を与《あた》える御霊の法則が働きかけた私たちには、神様は「人類はつまらん」などと言って、罪と死に定めたりしないというんです。より優《すぐ》れた法則の前には、それまでの法則は力を失うからです。

私の学生時代に、一橋大学のある先生が外国に行って、労働法というものを学んでこられて本を書かれました。私は何でも新しいものが好きでして、「労働法の時代が来るんだ」などといって読んだものです。しかし、労働というものが権利《けんり》となりえるかなあと思って、どうもピンときませんでした。
しかし戦後になりましたら、労働者の権利《けんり》が保証されて、経営者は勝手に辞《や》めさせることなどはできなくなりました。生活権や労働権を脅《おびや》かすと、労働基準局から告発されて経営者がやられる。こういうことは、昭和の初めまでは考えることもできませんでした。労働権というものは、基本法が変わったために決定的に強くなった。

ストライキなんかをやったら、大正年間だったら大変なことです。一網打尽《いちもうだじん》に刑務所《けいむしょ》にぶちこまれました。しかし戦後は、ストライキ権という権利まであります。こういったことは、昔の人間には奇妙《きみょう》に見えます。しかし今は、公然とスト権というものがあるために、政府も手出しができない。これはどこからくるかというと、より強い法律というものは、弱い法律を改廃《かいはい》してしまうんです。憲法《けんぽう》といったような根本的なものが変わってしまうと、後がガラッと変わるんです。

同様に、パウロがここで言おうとするのは、キリスト・イエスの御霊《みたま》の生命《いのち》の法則というものは、罪と死の法則を解放してしまう、無効にしてしまう力があるということです。これは法律論《ほうりつろん》的《てき》すぎるかもしれないが、皆さんにおわかりになると思う。

聖霊の法則というものが、いかにものすごい力をもっているか。これは、経験しなければわかりません。

聖霊による新しい律法《りっぽう》

今までの古い律法がいくらあっても、キリストという新しい律法の前には無力になる。このことは長い間、イスラエルの預言者たちの祈りでした。

旧約聖書のエゼキエル書に有名な聖句があります。

わたしは新しい心をあなたがたに与《あた》え、新しい霊をあなたがたの内に授《さず》け、あなたがたの肉から、石の心を除《のぞ》いて、肉の心を与える。わたしはまたわが霊をあなたがたのうちに置いて、わが定めに歩ませ、わがおきてを守ってこれを行わせる。（三六章二六、二七節）

パウロが言おうとするのは、エゼキエル以来の預言、これが成就《じょうじゅ》したということです。人間の心が石のように硬《かた》く、頑固《がんこ》で無感動なために、神の律法は全く無力になってしまった。しかし神様は、新しい霊を授け、温かく血の通った肉の心を与えて、律法が目指す世界を歩ませてくださる。

ですからパウロは、何も律法を軽《かろ》んじているわけではないんです。古《いにしえ》の預言者が示した時代がついに来たんです。そうすると、新時代に応じた律法《りっぽう》の改廃《かいはい》が行なわれる。新しい神の霊による律法ともいうべきものには、今までの古い文字《もんじ》の旧約律法はかなわない。それを言おうとしているんです。

御子《みこ》イエスの出現の意味

律法が肉により無力になっているためになし得なかった事を、神はなし遂《と》げて下さった。すなわち、御子を、罪の肉の様《さま》で罪のためにつかわし、肉において罪を罰《ばっ》せられたのである。

（八章三節）

律法は決して悪いものではありません。しかし、肉によって無力になってしまっている。ここでパウロが言う「肉」というのは、エゼキエル書の「肉の心」とは違《ちが》って、神無き人間性、聖霊無き命のことです。この肉の力によって、律法が無力になっている。肉によって人間の心が弱くなっているために、律法があっても役に立たないわけです。

しかし、生命《いのち》を与《あた》える御霊《みたま》の法則が臨《のぞ》むときに、神の御心を行なわしめるような状況《じょうきょう》となる。御子イエスを人間の姿《すがた》で地上に遣《つか》わされることを通して、律法がなしえなかったことを、神様は成《な》し遂《と》げてくださった。

「すなわち、御子《みこ》を、罪の肉の様《さま》で」の「εν ομοιωματι《エン ホモイオーマティ》 〜の様で」という語は、「同じような形で」というか、「似た状況《じょうきょう》で」ということです。神様は、罪深い人間と同じような姿《すがた》で御子を遣《つか》わされ、その御子を通して罪を罰《ばっ》せられたのである。すなわち、肉の姿をとって現れた御子イエスの内に聖霊を宿して、罪を滅《ほろ》ぼされた。

イエス・キリストは人間でした。しかし、ただの人間ではなかった。人間には違《ちが》いないけれども、罪を犯《おか》されなかった。罪を犯さないという意味において、違う人間である。キリストは肉の形はとったけれども、罪の肉ではなかったということは、新約聖書が一貫《いっかん》して言うところです。

コリント後書五章二一節には、

「神はわたしたちの罪のために、罪を知らないかたを罪とされた。それは、わたしたちが、彼にあって神の義となるためなのである」と書いてあります。

ヘブル書四章一五節にも、

「(キリストは)罪は犯されなかったが、すべてのことについて、わたしたちと同じように試錬《しれん》に会われたのである」とあります。

すべてのことが人間と同じだったけれども、ただ罪だけは別であった。神に背《そむ》くということを絶対にしなかった人間が一人いた。それがイエス・キリストである。

まことにイエス・キリストのご生涯《しょうがい》を読むと、驚《おどろ》くべき人間でした。神に背《そむ》くということが全くなかった人間。これは何かというと、神ご自身の霊が注がれておったからです。神ご自身の霊が注がれた者がいかに罪を犯《おか》さないか。

それに反して、神の霊を失った人間がいかにみじめで罪を犯すか。その罪は罰《ばっ》する以外にないということを、キリストの十字架において明らかにした。パウロはそのことを言うんです。

霊と肉

これは律法《りっぽう》の要求が、肉によらず霊によって歩くわたしたちにおいて、満たされるためである。

（八章四節）

律法は、神の掟《おきて》です。掟の要求は、肉によらず、霊によって歩く私たちにおいて満たされるのである。パウロは、聖霊が抜《ぬ》けた状況《じょうきょう》を肉と言います。逆に、聖霊を受け、聖霊を内に宿して生きる者を、霊によって歩く、と言うんです。霊と肉という概念《がいねん》は、霊的な人、肉的な人というような意味ではありません。

すなわち、御霊《みたま》のバプテスマを受けていない人間のことを肉と言うんです。聖霊を受けていなければ、何であれ肉なんです。

しかし、いっぺん聖霊のバプテスマを受けたら、それでいいのではない。いつもその状況《じょうきょう》をもちつづけていなければ、だめです。ここに、霊と肉というパウロの使い分けがあります。

それで、神のトーラー(律法《りっぽう》、教え)というか、御心《みこころ》の要求というものは、肉によって歩く人には満たされません。霊を受けた者によってだけ満たされる。これが御霊の法則です。

なぜなら、肉に従《したが》う者は肉のことを思い、霊に従う者は霊のことを思うからである。肉の思いは死であるが、霊の思いは、いのちと平安とである。なぜなら、肉の思いは神に敵するからである。すなわち、それは神の律法に従わず、否《いな》、従い得ないのである。また、肉にある者は、神を喜ばせることができない。

(八章五〜八節)

ここに、「肉にある者は、神を喜ばせることができない」とありますように、肉の思いは神に敵する。すなわち、神の掟《おきて》に従いえない。肉にある者は、神を喜ばすことはないのです。

それに対して、霊にあるというか、キリストにあるという意味は、キリストの霊と一つに結合しておる状況《じょうきょう》をいうんです。そうでなければ、神の律法《りっぽう》を、御心《みこころ》を行なうことができない。それで、パウロははっきりと次の九節で言っています。

聖霊なき者はクリスチャンではない

しかし、神の御霊《みたま》があなたがたの内に宿っているなら、あなたがたは肉におるのではなく、霊におるのである。もし、キリストの霊を持たない人がいるなら、その人はキリストのものではない。（八章九節）

キリストの霊をもたない人がいるならば、その人はキリストのものではない。キリストの霊とは聖霊のことです。また、「キリストのものではない」というのは、「クリスチャンではない」ということです。

しかるにどうです、私たちの信仰を誹謗《ひぼう》して、「聖霊によって救われるんじゃないんだ、イエスの御名が救うんだ。原始福音の人々は聖霊を強調しすぎる。聖霊によっては救われないんだ」などと言って、幕屋をかきまわす人たちがいます。

彼らは、全く聖書を抜《ぬ》きにして議論《ぎろん》しておる。キリストの霊をもたない肉の人は、そう言ったほうが自分たちに都合がよいんです。

しかし、私たちはどこまでも、原始福音を曲げるわけにはゆきません。聖霊によらなければ、神の御心《みこころ》を行なうことも、味わうことも、生きることもできないんです。

それで、霊に従《したが》う者は霊のことを思う。霊の思いは、生命《いのち》と平安である。

それに対して、肉の思いは死である、不安である。なぜなら肉の思いは神に敵するからです。敵すればこそ不安なんです、死なんです。神の律法《おきて》に従わず、従いえない。

これは、コンバージョン(回心)して聖霊を受けることによって、ほんとうに一変します。まだなお人間自体が霊肉あわせもつ存在《そんざい》ですから、戦いはありますよ。しかし、勝利は確実ですから、

「わたしたちの主イエス・キリストによって、神は感謝すべきかな」(七章二五節)とパウロは言うわけです。


もし、キリストがあなたがたの内におられるなら、からだは罪のゆえに死んでいても、霊は義のゆえに生きているのである。もし、イエスを死人の中からよみがえらせたかたの御霊《みたま》が、あなたがたの内に宿っているなら、キリスト・イエスを死人の中からよみがえらせたか

たは、あなたがたの内に宿っている御霊《みたま》によって、あなたがたの死ぬべきからだをも、生かしてくださるであろう。

（八章一〇、一一節）

もしキリストの霊が、あなたがたの内にあるなら、体は罪のゆえに死んでいても、キリストの霊が義であるから生きる。すなわち、キリストの霊は生命《いのち》を与《あた》える霊なのである。死なない生命、第二の生命、永遠の生命を与えるものなのである。

人間の短い五十年、七十年の生涯《しょうがい》において何が大事かというと、キリストの聖霊を受けるということです。この聖霊におんぶされて、私たちの魂は次の永遠の世界まで生きつづけるのです。

霊よ、霊よ、霊よ、燃え立てよ！

こうしてロマ書八章を読んでみると、信仰というものが何であるかがハッキリするじゃないですか。何が本当か、うそか、ということがわかります。

議論《ぎろん》は無用です。聖書が証明する。そして、私たちの信仰が聖書の信仰であるならば、またそれに近いのであるならば、感謝すべきかなです。聖霊は私たちに新しい生命を与える。不思議な生命を与える霊の働きです。これは全く神の賜物《たまもの》です。

それで、聖霊の信仰というものは、何も私が提唱したものではないんです。パウロは、このことを言うためにロマ書を書いたんです。どうぞ、古い観念は捨《す》ててください。罪と死の律法《おきて》から解放されてください。「あなたは罪人です、あなたはもう罰《ばっ》せられる以外にない」などという、そのような律法《りっぽう》から解放されることが福音です。

律法は尊《とうと》いものです。しかし福音は律法に勝《まさ》ります。長い間、旧約の預言者たちが預言してお った新しい御霊《みたま》の約束、これが成就《じょうじゅ》することが律法の終わりであり、福音の始まりであります。祈ります。

罪とは何か。心理学的に言うならば、自分で自分を処罰して「自分はだめだ、自分はつまらん」と言って、自らをさいなむ心を罪と言うんです。どうしてそのような心をもつかというと、神に怒《おこ》られているという感情がその人にあるからです。

しかし、キリスト・イエスにある者は、もう自分を処罰しない。もう私たちは、自分をさいなむようなことを止《や》めなければなりません。どうしてか。

キリストが捉《とら》えたもうたからです。キリストは私たちに生命《いのち》を与《あた》え、注ごうとしておられる。

それなのに、私たちがキリストに背《せ》を向けていてよかろうか。キリストの御霊《みたま》の生命《いのち》を与《あた》える法則に少しでも触《ふ》れたのなら、もっと私たちは触れなくてよいでしょうか。

もう一度、ご自分にお言い聞かせください。

ご自分の内に何が臨《のぞ》むか。神の霊が、キリストの御霊が臨むんです。

大事なことは、自分を自分で打《う》ち叩《たた》いて処罰《しょばつ》することではありません。肉が強くて神に背《そむ》き、神の掟《おきて》を行なおうとしない自分を抑《おさ》えるところのもう一つの要素が、私たちにやって来ることが大事です。

どうぞ、「キリストの霊よ、霊よ、霊よ」と言って、自分の内なる霊をあおぎたてて燃やすと、罪の力は弱まってしまう。

罪は存在《そんざい》しているでしょう、肉ですからね。すぐ罪は誘《いざな》い、罪は働きかけてくるけれども、霊が強くなるときに、神の義がこれを抑えて、ついに勝《か》ち戦《いくさ》になるんです。

これが、パウロがロマ書で言おうとしているところなんです。

弱った自分に何ができるものですか。それよりも、弱った自分を強くし、できないことをでかすような、霊を燃やすことのほうが大事です。

霊よ、霊よ、霊よ、燃え立てよ！　と、どうぞ祈ってください。

（一九六八年九月四日）

＊原始福音…二千年前、イエス・キリストが生々しく説かれた宗教の道、その道を歩いた弟子《でし》たちの喜ばしい信仰体験のこと。この初代教会時代の生き生きとした信仰に帰ることを、著者《ちょしゃ》は訴《うった》え、伝道した。そこから生まれた「キリストの幕屋」は、「原始福音」「原始福音運動」とも呼《よ》ばれる。

〔第一八講　ロマ書八章一二〜一七節〕

12それゆえに、兄弟たちよ。わたしたちは、果すべき責任を負っている者であるが、
肉に従《したが》って生きる責任を肉に対して負っているのではない。13なぜなら、もし、肉に従
って生きるなら、あなたがたは死ぬ外《ほか》はないからである。しかし、霊によってからだの
働きを殺すなら、あなたがたは生きるであろう。
14すべて神の御霊《みたま》に導かれている者は、すなわち、神の子である。15あなたがたは
再び恐《おそ》れをいだかせる奴隷《どれい》の霊を受けたのではなく、子たる身分を授《さず》ける霊を受けたの
である。その霊によって、わたしたちは「アバ、父よ」と呼《よ》ぶのである。16御霊みずか
ら、わたしたちの霊と共に、わたしたちが神の子であることをあかしして下さる。17も
し子であれば、相続人でもある。神の相続人であって、キリストと栄光を共にするため
に苦難《くなん》をも共にしている以上、キリストと共同の相続人なのである。

第一八講

神の子となる光栄

ロマ書八章一二〜一七節

ロマ書八章は、十六章あるロマ書の真ん中にあり、ここが最も大事な中心点であり、福音が何であるかを最高潮《さいこうちょう》に説いている箇所《かしょ》だといわれます。

罪と死との律法《りっぽう》から解放する力

パウロが、この八章の初めでまず言っておることは、

「今やキリスト・イエスにある者は罪に定められることがない」(八章一節)ということです。どうしてかというと、

「キリスト・イエスにあるいのちの御霊《みたま》の法則は、罪と死との法則からあなたを解放したからである」(八章二節)とあります。

すなわち、六章、七章で論《ろん》じた、人を苦しめる罪と死と律法《りっぽう》の問題、これから救うものは何かというと、生命《いのち》の御霊《みたま》の法則である。これが、すっかり解放してしまう。パウロは、どんなに罪の力、死の支配が強くとも、キリストの生命の御霊の法則にはかなわないということを感じているんです。

この前にお話ししましたように、今まで古い法律が支配しておっても、憲法《けんぽう》という基本法が変わると、民法も商法も、また他の法律もガラッと変わってしまいます。

同様に、今までは古い文字《もんじ》の律法に縛《しば》られて生きておったにしても、今や私たちは御霊を受けて、御霊の支配下に入ったのである。そこには御霊の法則というものがあるのであって、その法則が働きだしたら、今まで私たちを縛っておったものから解放されるということです。

これは、パウロが自ら体験したことでした。彼は律法主義のパリサイ人で、律法に縛られて生きていました。罪を犯《おか》すまいと思いながらも苦しんでおった生涯《しょうがい》が、御霊の法則の適用を受けだしたら、ガターッと一変してしまった。これこそ、本当の救いです。それで、

「御霊によって歩け。そうすれば、決して肉の欲《よく》を満たすことはない」(ガラテヤ書五章一六節)などというパウロ一流の論法は、今のクリスチャンが知っていることとは違《ちが》うんです。

これはもう、そのまま読むことです。ほんとうに聖霊に生かされる身になったら、神に背《そむ》くと

いうことをしませんよ、めったにね。もちろん、私たちは肉の中に生きていますから、全く罪を犯《おか》さないというわけにはゆきません。この世というものは、罪が支配している、死が支配している世界ですからね。しかし、罪の中に生きておっても、罪に染《そ》まぬ歩き方というものがあります。それは御霊《みたま》と生命《いのち》の法則が働いている限りにおいてです。

生命の法則の中で生きる

この夏、私は伊豆《いず》の海岸で過ごしました。

毎日、獲《と》れたての魚をたたきにして食べておいしかった。魚は塩辛《しおから》い海の中におるわけですから、塩辛いはずです。しかし、魚に生命がある間は塩辛くなりません。ところが、死んで塩水に漬《つ》けておくと、中身まで塩辛くなります。

生きておるならば、自分の棲《す》んでいる環境は塩辛くとも、塩が浸《し》みない。

同様に、私たちはこの罪の世の中に住んでいます。周囲は神に背《そむ》いている人たちばかりです。しかしながら、自分の中に聖霊の生命が生きておったら、魂の髄《ずい》までは腐《くさ》りません。多少は侵《おか》されるということはあるでしょう。しかし、もう腐って神の前に臭《くさ》くて出られん、というようにはならない。それは魂に生命の法則が働いているからです。

私たちは、キリストが流したもう聖霊の生命《いのち》によって救われるんです。今までは魂が死んでいるんですから、罪を犯《おか》しっぱなしでした。そのような死ぬべき者が生かされているのは、聖霊の力によってです。そのことを、このロマ書八章は大胆《だいたん》に言うわけです。

また、肉にある者は、神を喜ばせることができない。しかし、神の御霊《みたま》があなたがたの内に宿っているなら、あなたがたは肉におるのではなく、霊におるのである。もし、キリストの霊を持たない人がいるなら、その人はキリストのものではない。もし、キリストがあなたがたの内におられるなら、からだは罪のゆえに死んでいても、霊は義のゆえに生きているのである。

（八章八～一〇節）

私たちは罪の世の中に生きておりますから、やがてこの体は死ぬでしょう。しかしながら、魂はキリストの義を、キリストの聖霊を受けているから生きるんです。

もし、イエスを死人の中からよみがえらせたかたの御霊が、あなたがたの内に宿っているなら、キリスト・イエスを死人の中からよみがえらせたかたは、あなたがたの内に宿っている御霊《みたま》によって、あなたがたの死ぬべきからだをも、生かしてくださるであろう。

（八章一一節）

イエス・キリストは十字架にかかって死にました。しかしながら、三日目に生き返って、しばしば復活の聖姿《みすがた》を現されました。その亡骸《なきがら》は、今に至《いた》るまでこの地上にはありません。このように、人間は肉体をも霊化できるものであるということを、キリストは示された。パウロがしきりに願ったのは、この不死の生命《いのち》にありついて、永遠に魂が生きたいということでした。

ここまで前回学びましたが、今日は一二節から読みます。

霊によって体の働きを死なしめる

それゆえに、兄弟たちよ。わたしたちは、果すべき責任を負っている者であるが、肉に従《したが》って生きる責任を肉に対して負っているのではない。なぜなら、もし、肉に従って生きるなら、あなたがたは死ぬ外《ほか》はないからである。しかし、霊によってからだの働きを殺すなら、あなたがたは生きるであろう。

（八章一二、一三節）

「果すべき責任を負っている者」は、「οφειλεται《オフェイレタイ》 負い目がある者たち」です。負い目というのは負債《ふさい》ですね。「果すべき」という語は、原文にありません。

「それで、兄弟たちよ、わたしたちは負債をもつ者たちである」。その負債は、肉に対して負っているのではない。パウロにおいて「肉」というのは、いつも「霊」に対する対立概念《がいねん》です。ですから、ここで「肉に対する負債ではない」というのは、「霊に対する負債をもっている」ということを言おうとしていることがわかります。

「肉に従《したが》って生きるなら、あなたがたは死ぬ外《ほか》はない」。ここで使われている「死ぬ」は、「αποθνησκω《アポスネースコー》 死にかかっている、瀕死《ひんし》である」というような意味の語です。「外はない」というのは、「μελλω《メロー》 まさに〜する、必然的に〜である」という意味です。ですから、「あなたがたは死ぬことが必然である」と訳《やく》したらいいでしょうか。

「霊によってからだの働きを殺すなら」とありますが、この「θανατοω《サナトオー》 殺す」という語は、「θανατος《サナトス》 死」の派生語《はせいご》ですから、「殺す」というよりも、「死に渡《わた》す」ですね。同じ「死」という語でも、意味は違《ちが》います。

ここでパウロが言おうとすることは何かというと、

「あなたがたは、霊が抜《ぬ》けた肉のままで生きておるのならば、死ぬほかはない。しかし、霊によって体の働きを封《ふう》ずる（死なす、無力にする）ならば、あなたがたは生きるであろう」ということです。体の働きを封ずるとは、肉の力を封ずることをいいます。

先ほども言いましたように、パウロは「霊」と「肉」という対立概念《がいねん》をもっているんです。人間には心と体があります。体は人間の外観的な要素です。この体は、心が神経を通して働いているから動く。心があればこそ体も動きます。その心の奥《おく》には魂がありますが、神の霊をもたない肉の魂が心と体を動かしておる状況《じょうきょう》と、聖霊を受けた魂が心と体を働かす場合がある。

もし私たちが、聖霊を受けずに生まれながらの肉のままだったら、私たちは体も心も魂も、ただ死ぬ以外にない。この世で何も実を結ばない。

しかしながら、霊が働いてきたら、「今までのように、肉が思いのままに心や体を動かしているようにはいかんぞ」と、霊がことごとく干渉《かんしょう》してきます。霊が支配しだしたら、この体の作用を止《とど》めるような力をもっているということです。

それで、体の働きを死なすならば、生きる。

これはもう、パウロの思想の根本がそうなっているので、それを理解して読まれなければ何の意味かわかりません。彼が言いたいのは、霊が体の働きを死なすぐらいに圧倒《あっとう》してきたら、救われるのだということです。

神の御霊《みたま》に導かれる者

すべて神の御霊に導かれている者は、すなわち、神の子である。（八章一四節）

「すべて神の御霊に導かれている者は」の「すべて」という語は、「οσος《ホソス》 おおよそ」というか、「～するかぎりにおいては、as《アズ》 many《メニー》 as《アズ》」と訳《やく》しますか。「神の御霊に導かれている人間であるならば、例外なしに」といったような意味です。ただall《オール》（全部）という意味ではありません。御霊に導かれている限りは、導かれるならば例外なしに、その人は神の子である。ここは「υιοι《ヒュオイ》 θεου《セウー》 神の子たち」と、複数形になっています。

神の御霊に導かれる生涯《しょうがい》、これがクリスチャンの生涯です。

今のキリスト教は、聖霊があるんだろうか、ないんだろうか、といったようなことから議論《ぎろん》しておる状況《じょうきょう》で、まず話にならん。

神の御霊に導かれる生涯は、今まで肉がほしいままに心と体を操《あやつ》っておった状況を、今度は御霊が圧倒《あっとう》して、御霊が体の働きを殺すぐらいに導きはじめるものなんです。これは、私たちが救われた当時のことを考えるとよくわかります。

人生の荒野《あらの》で出会う神

旧約聖書の出エジプト記には、今から三千年以上前のこと、奴隷《どれい》の民《たみ》であったイスラエルを率いて出エジプトした、モーセの記事が載《の》っています。モーセはエジプトの王子として育てられましたが、四十歳《さい》にして、同胞《どうほう》のイスラエル人を虐待《ぎゃくたい》するエジプト人を殺してシナイ半島の荒野に逃《に》げました。荒野の涯《はて》のミデヤンの地まで来て、彼が羊飼いに身を落としていた時のことです。


モーセは妻の父、ミデヤンの祭司ェテロの羊の群れを飼っていたが、その群れを荒野の奥《おく》に導いて、神の山ホレブにきた。ときに主の使いは、しばの中の炎《ほのお》のうちに彼に現れた。彼が見ると、しばは火に燃えているのに、そのしばはなくならなかった。モーセは言った、

「行ってこの大きな見ものを見、なぜしばが燃えてしまわないかを知ろう」

主は彼がきて見定めようとするのを見、神はしばの中から彼を呼《よ》んで、

「モーセよ、モーセよ」と言われた。彼は
「ここにいます」と言った。神は言われた、

「ここに近づいてはいけない。足からくつを脱《ぬ》ぎなさい。あなたが立っているその場所は聖な

る地だからである」。また言われた、

「わたしは、あなたの先祖の神、アブラハムの神、イサクの神、ヤコブの神である」

モーセは神を見ることを恐《おそ》れたので顔を隠《かく》した。主はまた言われた、

「わたしは、エジプトにいるわたしの民《たみ》の悩《なや》みを、つぶさに見、また追い使う者のゆえに彼らの叫《さけ》ぶのを聞いた。わたしは彼らの苦しみを知っている。わたしは下って、彼らをエジプトびとの手から救い出し、これをかの地から導き上って、良い広い地、乳《ちち》と蜜《みつ》の流れる地、すなわちカナンに至《いた》らせようとしている」

（出エジプト記三章一〜八節）


その使命のために、おまえを召《め》す、という神の声をモーセは聴《き》きました。しかし彼は、

「わたしは、いったい何者でしょう。わたしがパロのところへ行って、イスラエルの人々をエジプトから導き出すのでしょうか」（出エジプト記三章一一節）と言って、自分は神に導かれるような人間ではないと訴《うった》えました。しかし神様は、モーセを無理やりに導いておしまいになりました。

神に導かれる生涯《しょうがい》というものは、そういう生涯です。

モーセとしては、偉大《いだい》なるエジプトの王パロの前に出るなどといったようなことは、もうしたくありませんでした。

罪を犯《おか》してエジプトから逃《に》げ出《だ》したモーセ。ミデヤンの砂漠《さばく》で舅《しゅうと》エテロの羊を飼って、世捨《よす》て人《びと》のように生きておるモーセ。彼は、人から捨てられたような人生の荒野《あらの》において、神に出会ったんです。もう死ぬ以外にない、落ちぶれ果てたような時に、神は忽然《こつぜん》と現れたもうたのでした。

彼がエジプトで王子のままならば、神様は十分に彼を動かすことはできませんでした。彼がうらぶれ果てた時こそ、絶好のチャンスでした。人間、人生に敗れてうらぶれ果てるということは、決して悪いことではありません。モーセは荒野の奥《おく》において神に出会ったんです。

神の霊が働く時

私もそうでした。戦後、大陸から故郷《こきょう》の熊本に引《ひ》き揚《あ》げた私は、巨万《きょまん》の富をもっていました。いろいろ事業を起こしたりもしましたが、何をやってもやる気がしなかった。そんな時、子供《こども》が通っていた小学校を閉鎖《へいさ》するという、アメリカの占領軍政《せんりょうぐんせい》に盾突《たてつ》いたために、捕縛《ほばく》命令が出た。

私は、阿蘇《あそ》の山奥に逃げました。そして、軍政官の追っ手を恐《おそ》れて、悲痛《ひつう》な叫《さけ》びを上げました、「神様、助けてください！」と。地上の恐るべき権力《けんりょく》をもって、何をするかわからんような者が追ってくる時に、神に叫ぶ以外ありませんでした。おびえつつ潜伏中《せんぷくちゅう》のある日、阿蘇地獄高原《じごくこうげん》の山の谷間で祈りつつあると、突如《とつじょ》として、キリストは光まばゆいまでに御姿《みすがた》を現されたので、私は打《う》ち震《ふる》え、ひれ伏《ふ》してしまいました。その時、

「たとい主はおまえに悩《なや》みのパンと苦しみの水を与《あた》えられても、おまえを教える者は再び隠《かく》れることはなく、おまえの目はおまえの師(キリスト)を見るであろう。また、おまえが右に行き、あるいは左に行く時、その背後《はいご》で『これは道だ、これに歩め』と言う言葉を耳に聞くであろう」とイザヤ書三〇章の御言葉をもって、主は私を励《はげ》ましたまいました。

もし、背後の神霊が私を直《じか》に導き、教え、指図されるのなら、何を憂《うれ》えることがあろう。私は決心しました。「神様、もう一切《いっさい》の事業を捨《す》てて、私は自分の生涯《しょうがい》はないものと思って、あなたの僕《しもべ》となり、伝道いたします」と誓《ちか》いました。

人間の体の働きとか、頭の働きというものは、恐《おそ》ろしい運命が一呑《ひとの》みにしようとするときに、役に立ちません。しかし、そのように死んでも死にきれない、しかし、死なねばならぬ一関《いっかん》を越《こ》えた時に、神の霊が働きだすんです。

神の霊は、人間の心が、肉が死ぬような目に遭《あ》う時に働いてくる。大死《だいし》一番《いちばん》するような状況《じょうきょう》において、働きかけてくるということです。神の器《うつわ》となった人の生涯を見ますと、これは例外ないですね。

神の言葉を聴《き》いたエリヤ

旧約聖書の中でいちばん偉大《いだい》な人物は、モーセとエリヤだといわれます。そのエリヤも同様でした。ギレアデ山地のテシベに住むエリヤ、辺境に住んでおったエリヤでしたが、その彼が、異教《いきょう》の神に仕えるアハブ王の前に出かけていった時のことが列王紀《れつおうき》に記されています。

エリヤはアハブに言った、

「わが前に立つエホバ、イスラエルの神は生きている。わたしの言葉のないうちは、数年雨も露《つゆ》もないでしょう」。主の言葉がエリヤに臨《のぞ》んだ、

「ここを去って東におもむき、ヨルダンの東にあるケリテ川のほとりに身を隠《かく》しなさい。そしてその川の水を飲みなさい。わたしはからすに命じて、そこであなたを養わせよう」

エリヤは行って、主の言葉のとおりにした。すなわち行って、ヨルダンの東にあるケリテ川のほとりに住んだ。すると、からすが朝ごとに彼の所にパンと肉を運び、また夕ごとにパンと肉を運んできた。そして彼はその川の水を飲んだ。

しかし国に雨がなかったので、しばらくしてその川はかれた。その時、主の言葉が彼に臨《のぞ》んで言った、

「立ってシドンに属するザレパテへ行って、そこに住みなさい。わたしはそのところのやもめ女に命じてあなたを養わせよう」

（列王紀上一七章一～九節）

エリヤは立って異国《いこく》のザレパテに行きました時に、そこでバッタリと一人のやもめ女に出会った、と書いてあります。

彼が神の言葉を聴《き》いたのは、王様に追われるような目に遭《あ》った時でした。全イスラエルがひどい飢饉《ききん》の中で欠乏《けつぼう》に耐《た》えがたくしておる時、彼は神の声を聴いたんです。

もし、ここにお集まりのかたで、

「自分は今、やること、なすこと、思うに任せん」という人があるならば、または、

「貧しくほんとうに苦しい、私は病気である、私は乏《とぼ》しく困《こま》っている」というならば、神の働くチャンスです。神の霊は、肉の死を通して働きます。

今までは常識的な考え方、人間のちっぽけな頭で考え、目に見ゆるところによって歩いていたかもしれない。そういったものに、ほんとうに死に切って、神にだけ頼《たよ》りはじめる時に、大きく

開けてくる世界があります。これは経験によって知る知恵《ちえ》でして、理屈《りくつ》ではありません。

蒙古《もうこ》の砂漠《さばく》で死んだ自分

人間、思うに任せぬことがいろいろあります。

日支事変の最中でした。北支派遣軍《はけんぐん》の前線で、私と笹森四郎《ささもり》軍曹《ぐんそう》は、最も良いことと思って、ほんとうに支那《しな》の民衆《みんしゅう》のために尽《つ》くしました。けれども、それが軍部には通りません。とうとう高級参謀《さんぼう》の怒《いか》りをかって、私たちは殺されそうになった。

笹森君は、八路軍《はちろぐん》に直面する最も危険《きけん》な最前線の歩哨長《ほしょうちょう》に飛ばされました。彼はアメリカのインディアナ州のデュポー大学を出て、後に関西《かんせい》学院大学の教授となった立派《りっぱ》な人でした。正しいことをやって、どうしてこういう目に遭《あ》うのだろうと思ったけれども、高級参謀の威力《いりょく》はすごいものでして、一睨《ひとにら》みで私たちの命はありませんでした。

私は牢屋《ろうや》に捕《と》らえられて、三週間真っ暗な中で泣きました。当番兵がやって来たので、「おれはどうなっているんだ、軍法会議にかかるのか」と聞くと、彼の答えは、「もう軍法会議とか、何とかじゃありません。今、参謀や憲兵《けんぺい》隊長は、あなたをどうやって殺すか、ということを相談中なんです」ということでした。聞いて身震《みぶる》いしました。

内蒙古の砂漠

真っ暗な中、ねずみと一緒《いっしょ》に飯食って、おびえて、「神様、助けてください、助けてください！」と、どれだけ叫《さけ》んだかわからなかった。

しかし、そのようなことを通して、私は神を知りました。神様は私を殺されなかった。

内蒙古《うちもうこ》の砂漠《さばく》に、私は追放されました。多くの人が毛沢《もうたく》東《とう》軍に引き立てられたり、死んだりしましたのに、私は不思議に生きて帰ってくることができました。

あれは、蒙古の砂漠から竜巻《たつまき》が立った時で、砂嵐《すなあらし》のために、ラクダがばたばた死んでゆくような月夜の夕方でした。ほんとうに危《あぶ》ないところを、私はかすり傷《きず》一つせずに助かった。

細長い鉄橋を歩いて日本軍の前線に救いを求めたら、バンバンと鉄砲《てっぽう》で撃《う》ってくる。

「おーい、味方だ！　日本人だぞ」と、手を上げて近づいていって、やっと救われた経験を思い出します。その時に、「神様、私は生きているんですね、生きているんですね」と言って、自分の足をこうやって叩《たた》いて(足をパンパンと叩く)、自分が生きていることを確かめました。

こういうことを通して知った神の恩寵《おんちょう》というものは、ただの神学の本に書いてある信仰と違《ちが》うんです。まことに主は私の側《そば》にあって、生きて救ってくださった神様でした。

荒野《あらの》の奥《おく》で体験した神様は違っていました。こういう神様に、良きにつけ悪《あ》しきにつけ導かれることを、私はだんだん学びだした。そして、ほんとうに御霊《みたま》の導きというものを知るようになった。人間のちっぽけな頭で考えるより、運命を支配したもうもの、神に導かれる生涯《しょうがい》がどんなに楽で、どんなに有《あ》り難《がた》いかということを知るようになりました。

そのことを思うと涙《なみだ》が出ます。神様、もったいない生涯です。私は死んでも悔《く》いはちっともありません。この地上に生まれてよかったなあ、という感謝だけしか私にないですね。

この、肉において一度死ぬということは、ちょっと説明ができません。けれども、そういう経験を通して、神の霊に導かれることを知ったんです。

一度、荒野の奥で死んだはずの自分。生きているとしたら、もう私ではありませんから、神様、どうぞお導きください！　といって生きているんです。毀誉褒貶《きよほうへん》はどのようにあろうと、そんなことはもう、この世に対して死んだ私には関係ありません。俗物《ぞくぶつ》であった時代はもう終わりました。今はどうでもよいことです。

聖霊によって神の子となる

あなたがたは再び恐《おそ》れをいだかせる奴隷《どれい》の霊を受けたのではなく、子たる身分を授《さず》ける霊を受けたのである。その霊によって、わたしたちは「アバ、父よ」と呼《よ》ぶのである。御霊《みたま》みずから、わたしたちの霊と共に、わたしたちが神の子であることをあかしして下さる。

（八章一五、一六節）

「恐れをいだかせる奴隷の霊を受けたのではなく」とありますが、原文は、「恐れに至《いた》るようにと奴隷の霊を受けたのではなく」です。

奴隷はいつもびくびくしています。そうではなくて、神の御霊に導かれている者は、子たる身分を授ける霊を受けたのである。「υιοθεσια《ヒュイオセシア》　子たる身分を授ける」と訳《やく》された語は、「υιος《ヒュイオス》　息子《むすこ》」と「τιθημι《ティセーミ》　置く、立てる」の合成語です。すなわち、「養子にすること」とか、「子たらしめること」という意味ですね。

神の御霊《みたま》を頂《いただ》く時に、私たちは神の子となる霊を受けるんです。
養子縁組《えんぐみ》は契約《けいやく》によってなるかもしれませんが、神の子となるということは、御霊を受けることによってなるんです。ですから「子たる身分を授《さず》ける」というのは、ちょっと訳《やく》しすぎです。「神の子とする御霊を受けたのである」です。

その「御霊によって」というか、「御霊において」、私たちは神様に対して、「αββα《アバ》 ο《ホ》 πατηρ《パテール》　アバ、父よ」と呼《よ》ぶ。「アバ」というのはヘブライ語で「お父さん」、「パテール」はギリシア語で「お父さん」の意です。「お父さん、お父さん」と呼ぶのである。こうして、御霊自ら私たちの霊と共に、私たちが神の子であることを証《あか》ししてくださる。これは、聖霊の経験がないとわかりません。

私たちが神の子であるということは、自分で「私は神の子なんです」と自認《じにん》したってだめなんです。もう一つ、聖霊が自ら証ししてくださる。「おまえは子なんだよ、わが子よ、わが子よ」という声を上から聴《き》く。だから、私たちは「お父さま、お父さま」といって、叫《さけ》ばずにおられないんです。

このように、神に対して、魂の父を呼び求めてたまらない感情。これは理屈《りくつ》からはきません。
なんで原始福音の連中は「お父さま、お父さま」と言うんだろう。「おお、全天全地にいます、わが神、聖なる神よ」とでも言えばよいのに、と牧師さんたちは思うかもしれんけれども、初代教会はそうではありませんでした。

「αββα《アバ》 ο《ホ》 πατηρ《パテール》, αββα《アバ》 ο《ホ》 πατηρ《パテール》　お父さま、お父さま」と、皆が呼《よ》んだんです。ヘブライ語で、またギリシア語で。これは、神自らの声を聴《き》くからです。御霊《みたま》に促《うなが》されるからです。たまらないから、「お父さま！」と言うんです。これは議論《ぎろん》の問題ではない、直接経験の問題です。

それで、御霊自らが共に証《あか》ししてくださる。何と共にかというと、私たちの霊と共にです。私たちが神の子であると証ししてくださるんです。すなわち、御霊なる神様が、

「わが子よ、わが子よ」といって証ししてくださるから、私たちも、

「お父さま、お父さま」と言わざるをえない。お互《たが》いが共に証しし合っているんです。

このことは、私たちには理屈《りくつ》でなくわかるけれども、教会ではこれを理屈として学ぼうとする。

神の共同相続人

もし子であれば、相続人でもある。神の相続人であって、キリストと栄光を共にするために苦難《くなん》をも共にしている以上、キリストと共同の相続人なのである。

（八章一七節）

さらにパウロの考えが発展《はってん》してゆきます。

子であるというけれども、単なる子ではない、相続人である。相続人というのは世継《よつ》ぎです。その世継ぎも、神の世継ぎであって、神の共同相続人である。誰《だれ》と共同かというと、キリストと共に共同相続するというんです。

たとえば、父親が死んで、子供《こども》が三人あるような場合に、父の遺産《いさん》を分割《ぶんかつ》せずに共同相続にするというやり方があります。もちろんキリストが長子ですけれども、私たちも弟、妹として共同相続する。

すなわち、キリストがもちたもうたカリスマ的な力を、心を、賜物《たまもの》を、天国を、キリストが受けたもうたように、私たちも共に受けられるということを言うんです。その前提として、

「栄光を共にするために、苦難《くなん》をも共にするのである」

ここに、「σύν《シュン》　～と共に」というギリシア語が何度も出ています。苦難をも共にしている以上、栄光をも共にするのだ、と。

信仰について不可解なことは、私たちはこんなに喜んでいるけれども、それとともに迫害《はくがい》があるということです。しかしパウロは、迫害があり、苦難があればあるほど、栄光を共にするのだという、「栄光の相続人である」ということを感じました。栄光とは、神の本質を表す言葉です。

カリスマ的なものをいよいよキリストのように相続してゆくということを、苦難《くなん》を通して学んだというんです。

神の現在を生きる

私たちに不可解な人生の苦難、悪魔《あくま》の襲来《しゅうらい》というものがあれば、いよいよ祈って解決して、栄光に突入《とつにゅう》したいです。

あんな立派《りっぱ》なかたに、どうしてこんな悩《なや》みが襲《おそ》ってくるんだろうと思うようなことがあります。しかし、私は祈っている。そのことを通して、このかたは栄光を受けなさるなあ、と。

よりによって、サタンはいちばん尊《とうと》い人たちを撃《う》ってきます。

しかし、撃たれることを通して、さあ天国と地獄《じごく》との争奪戦《そうだつせん》です。どっちが勝つかです。

ですから、パウロにおけるところの信仰は、霊と肉との戦いなんです。

私たちの体と心を戦場にして、どっちが勝つか。

肉という、霊のない、生命《いのち》のない、死んだらそれきりの魂。地獄のような状況《じょうきょう》が勝つか、霊が勝つか。死が勝つか、生が勝つか。このことを、ここで言っています。

人々は霊的でないから、「神はあるのか、無いのか」といって、神の不在ということを感じます。彼らは、神の不在をさかんに議論《ぎろん》し、そして、議論だけに終わる。

それに対して、神の現在を経験することが私たちの信仰です。

テシベ人エリヤは、「わが前に立つエホバは生きている！」と言うぐらい、ありありと神の臨《りん》在《ざい》を、神の現在を感じたものでした。しかし、私たちの魂が眠《ねむ》って死んでしまっていると、感じません。だから、神があるか無いかではなくて、私たちが霊的であるかないかによって決まる問題です。

どうぞ、私たちは常に霊を呼吸《こきゅう》し、神の霊的現在を生きてゆきたい。

イエス・キリストは神の現在を生きた人です。私たちも神の現在を示して生きねばなりません。


幕屋聖歌一番を歌います。

涯《はて》なき荒野《あらの》の奥《おく》に
罪に泣き　逃《に》げゆきて
わびしく　羊飼いつつ
世に捨《す》てられし　モーゼ

死を　もとめつつも　死ねず
嘆《なげ》き　呻《うめ》きしとき
柴木《しば》に　ああ主は　火と燃え
呼び給《たま》いし　聖《きよ》き地
（作詞　手島郁郎）

昨日まで、エジプトの王宮においてときめいていたモーセ。しかし、罪を犯《おか》して世に捨《す》てられ、荒野《あらの》の涯《はて》、ホレブの山の奥《おく》まで来た時に、彼は神に出会いました。神の現在を感じました。神は生きていましたもう！　神はいないのではないんだ、神はありありと生きたもうことを知りました。

私たちも、自分の肉に寄《よ》り頼《たの》めなくなって、死に瀕《ひん》する時こそ、神と出会うチャンスです。モーセと同様に、神と出会った以後のパウロは、目に見えるものは何ももっていませんでしたが、神の霊で生き、神の霊で勝ち、神の霊に導かれる生涯《しょうがい》を送りました。これは代表的な例であるけれども、多くの聖徒たちが経験した経験であります。

どうか、霊によって体の働きを死なしてしまうような状況《じょうきょう》になった時に、神の霊に出会い、神の霊に導かれます。こんな勝利の生涯《しょうがい》はありません。これがなかったなら、私たちにとって信仰するということはむなしいことです。

どうぞ、神様！　今こそ、愛する兄弟姉妹に出会ってください。天降《あまくだ》って出会ってください。臨在《りんざい》してください。神があるのか、無いのかと言っている人たちに、どうかありありと現れて導いてください！

（一九六八年九月十二日）

＊日支事変…日華《にっか》事変ともいう。一九三七～一九四五年の、日本と中国の戦争。
＊八路軍…日中戦争の時代に、華北で活動した中国共産党軍。一九四七年に人民解放軍と改称。

〔第一九講　ロマ書八章一四～二一節〕

14すべて神の御霊《みたま》に導かれている者は、すなわち、神の子である。15あなたがたは再
び恐《おそ》れをいだかせる奴隷《どれい》の霊を受けたのではなく、子たる身分を授《さず》ける霊を受けたので
ある。その霊によって、わたしたちは「アバ、父よ」と呼《よ》ぶのである。
16御霊みずから、わたしたちの霊と共に、わたしたちが神の子であることをあかしし
て下さる。17もし子であれば、相続人でもある。神の相続人であって、キリストと栄光
を共にするために苦難《くなん》をも共にしている以上、キリストと共同の相続人なのである。
18わたしは思う。今のこの時の苦しみは、やがてわたしたちに現されようとする栄光
に比べると、言うに足りない。19被造物《ひぞうぶつ》は、実に、切なる思いで神の子たちの出現を待
ち望んでいる。20なぜなら、被造物が虚無《きょむ》に服したのは、自分の意志によるのではなく、
服従《ふくじゅう》させたかたによるのであり、21かつ、被造物自身にも、滅《ほろ》びのなわめから解放され
て、神の子たちの栄光の自由に入《い》る望みが残されているからである。

第一九講

進化の絶頂《ぜっちょう》に立つ者

ロマ書八章一四～二一節

内村鑑三《かんぞう》先生は、ロマ書八章について、次のように言われました。

「ロマ書は新約聖書の中心であり、その第八章はロマ書の中心である。ゆえにロマ書第八章は新約聖書の中心である。かのドイツ敬虔派《けいけんは》の創始者《そうししゃ》スピーネルの言として伝えらるるところによれば、『もし聖書を指輪に比するならば、ロマ書はその宝石《ほうせき》であり、第八章はその宝石の輝点《きてん》(sparkling《スパークリング》 point《ポイント》)である』とのことである。実にこれ聖書の最高点である」

まことにこの八章は、ロマ書の絶頂であります。

しかし、「私は信仰がないから、そんな絶頂は極《きわ》めることができぬ」と言うならば、パウロはそんなためにロマ書を書いたんじゃないんです。

どんな弱い信仰の人も、これがわかりさえしたならば、皆、救われる。どんなに罪に泣いて苦しんでおる者も、この書をよく読んだら信仰がわかるはずだ、この福音で救われるのだ、といって書いているんです。難《むずか》しい議論《ぎろん》をふっかけるために彼は書いたのではありません。

これを学びえましたら、私たちはもう迷うこともない、疑《うたが》うこともない、確信をもってお進みになってよいのであります。

キリスト・イエスにある信仰

こういうわけで、今やキリスト・イエス（の中）にある者は罪に定められることがない。

（八章一節）

「私は罪深いんです。私は罪に苦しんでおるんです」と、今のクリスチャンなら言うかもしれません。ところが、パウロはそういうことを言いません。クリスチャンはもう罪を覚えないものだ、と言っている。いつまでも「罪、罪」と言わせて苦しめるのならば、それは地獄《じごく》の信仰です。日本人がキリスト教を毛嫌《けぎら》いするゆえんはそこにあります。罪を説いてくれることはよい。しかし、救われるにはどうしたらよいのか。

教会に行くと、「十字架で、イエス様が私たちの罪の身代わりになって死んでくださったから、それを信じたら救われる。救われると信じた者は救われる」などと言います。それは一種の自己《じこ》催眠《さいみん》です。そんな、まやかし事で救われたりするものですか。パウロは、「キリスト・イエスにある者は、罪に定められることがない！」と言っております。

ここで、「キリスト・イエスにある」という語が大事です。

内村先生は、この一句について、

「キリストにあるは、キリストの中に己《おのれ》を浸《ひた》すことなり。彼をもって心霊的空気となし、その中に動き、生を保つことなり」と注解しております。

まことに、私たちはキリストの霊に浸されたならば、もう罪を覚えないのである。キリストの十字架の血汐《ちしお》には、すっかり罪もあくたも清めてくれるような、不可思議な力があるのである。キリストの霊にバプテスマされている者は、罪に定められることがない。これは信仰の奥義《おくぎ》を説いたものです。私たちは、いつまでも罪に留《とど》まるために信仰するのではないんです。

パウロはガラテヤ書の中で言いました、

「キリストにあって義とされることを願いながら、わたしたち自身が罪人として見出《みいだ》されるならば、キリストは罪の役者《えきしゃ》であるか、断じてそうではない」(ガラテヤ書二章一七節　直訳《ちょくやく》)と。私たちは、一般《いっぱん》のクリスチャンとは、もう絶縁《ぜつえん》したがよい。私たちは、このロマ書八章が言っておるようなタイプのクリスチャンでありたいと思う。

一四節から読むと、聖書が示すクリスチャンの姿《すがた》というのが、もっとはっきりします。

神の霊をもつ者

すべて神の御霊《みたま》に導かれている者は、すなわち、神の子(複数)である。あなたがたは再び恐《おそ》れをいだかせる奴隷《どれい》の霊を受けたのではなく、子たる身分を授《さず》ける霊を受けたのである。その霊によって、わたしたちは「アバ、父よ」と呼《よ》ぶのである。　　(八章一四、一五節)

パウロがここで言っておりますように、イエス・キリストだけが神の子ではありません。私たちもイエス・キリストの生命《いのち》を頂《いただ》いたら、皆、神の子であります。神の子は、神の子らしく歩かねばなりません。神の子らしく歩くというのは、神の御霊に導かれて歩くことです。

神の御霊に導かれるということは、ほんとうに不思議であります。

「あなたは神の子です」と言ったら、

「いいえ、私は罪人です。神の子ではありません」と答えるのがクリスチャンだと思ったら、とんでもない。それは聖書の信仰とは違《ちが》います。私たちは贖《あがな》われて神の子となるんです。なれるんです。どうしてかというと、イエス・キリストに宿ったあの聖霊が、神の生命《いのち》が、私たちにやって来るからです。

「ああ、私はあんなおぞましいことをした。あんな悪いことをした」と言って、過去のことを思うと、自分をとがめないでもありません。しかしながら、キリストに贖われた現在を思ったら、もうほんとうにそれを忘《わす》れてしまいます。

立派《りっぱ》になった現在の姿《すがた》を見ると、その人の過去を思い出すこともできません。

先ほどT君がここに立って、「私はほんとうに悪い奴《やつ》でした」と証《あか》しされました。確かに悪い奴でした。けれども、今の彼に、そういうことを考えることが私にはできません。人は過去をとがめるかもしれないが、もう思い出すことすらありません。まあ思い出したとしても、その人がまだ信仰に入られる前の苦しみを知っています。また、しくじりや失敗を知っています。しかし、彼が神の霊にさびつかれだしなさったら、すっかり変わって、過去の醜《みにく》い姿を見ようと思っても、見ることができないような変わり方をしておられる。

私たちは皆、神の子となるために信仰をしておるのであります。

親の命を受けた者が子でありますように、父なる神の霊を頂《いただ》いた者が神の子であります。

「アバ、父よ」と祈る

イエス・キリストは弟子《でし》たちに、

「天にいます我らの父よ、願わくは御名《みな》の崇《あが》められんことを」（マタイ伝六章九節）と言って祈るように教えられて、神様を「天のお父さま」と呼《よ》べと言われました。

父なる神の霊を頂くのが私たちクリスチャンだからです。

しかし、ただ口先だけで「お父さま」と言うのではいけません。ほんとうに父の子らしい生命《いのち》がたぎっていなければなりません。

人は、「そうかしら、あの人にはこんなしくじりがありますよ」と言うかもしれない。それは子供《こども》ですもの、しくじりもしますよ。しかし、変わってゆきます。初めから立派《りっぱ》であるというわけにはゆきません。

ただ大事なことは、父なる神の霊をもっているか、どうかということです。

そして、この霊に従《したが》って歩くと、すくすくと成長してまいります。

その霊によって、私たちは「αββα ο πατηρ《アバ ホ パテール》　アバ、父よ」と呼ぶのである。「アバ」というのはヘブライ語で「お父さん」、「パテール」というのもギリシア語で「お父さん」の意味です。「κραζω《クラゾー》　呼《よ》ぶ」と訳《やく》された語は「大声で叫《さけ》ぶ、呼びかける」という意味です。神様に向かって、「お父さま、お父さま」といって叫ぶのである。

スロムニツキー博士夫妻と

イスラエルの父と娘《むすめ》

去年（一九六四年）の秋でした。二十人のかたがたと一緒《いっしょ》に、イスラエルの聖地巡礼《じゅんれい》をしました。旅の途中《とちゅう》、テルアビブから二十キロほど南のレホボットという町に、私の旧《ふる》い友人であるイスラエル・スロムニツキーという農学博士の家を訪《おとず》れました。

その時に、私が博士の二人のお嬢《じょう》さんにお土産《みやげ》をやりましたら、「アバ　マー、アバ　マー」とはしゃぎます。「アバ」というのは「お父さん」、「マー」というのは「なんとまあ、すてきな……」という意味です。そのお嬢さんたちは、もう十六、七、八歳《さい》の大きい娘ですけど、お父さんを慕《した》って、

「アバ、アバ」といって追っかけまわす。そして、

「お父さん、なんてすてきなものを頂《いただ》いて」と喜んでいる。

イスラエル人の父娘《おやこ》はこんなに深い愛情で結ばれているのかと思って、感心して見ていました。

私は自分の娘《むすめ》に対して、そんなに濃《こま》やかな愛情をかけているだろうかと思ったら、恥《は》ずかしいような気がしました。

今日は、私の娘がこの場に来ておりますけれども、この子が小さい時に母親が死んで、おりませんでした。ですから、私が小学校の門のそばまでついてゆくのですが、

「もう、帰って。お父さんみたいな人は恥ずかしい」と言うんですね。遠足の時に、

「ぼくが親だからついてゆこう」と言うと、

「何しに来るの、お父さんなんかあっち行って」と嫌《きら》います。

私はその時、辛《つら》かった。親の思いは、こんなに子供《こども》を愛しておるけれども、娘は、

「あっち行って、あっち行って」と言う。

「お父さんは、普通のお父さんでない」

「何でそんなこと言う？」

「お父さんは髭《ひげ》があるから、いかん」

私の髭《ひげ》、これは伊達《だて》でも何でもなくて、不精髭《ぶしょうひげ》が伸《の》びたんです。ある人のことを非常に心配して、飲まず食わずで過ごしたんですね。その奥さんが亡《な》くなって、一家がどうなるか。こんなに良い子供《こども》さんたちが、今後どうなるかと思ったら、もう飯も喉《のど》を通りませんでした。

二カ月ほど経《た》ったら、とうとう髭が生えてしまった。何も生やそうと思ったわけではないんです。不精髭が伸びて、皆が似合うと言うし、この頃《ごろ》は男が髭をたてませんから、まあ私のような者も前世紀の遺物《いぶつ》として、おってもよかろうというようなわけで(笑い)、髭を伸ばしとるわけです。これは余談ですけれども。

原始福音の人はどうして、「お父さま、お父さま」と言うのだろう、あれがどうも耳障《みみざわ》りだと言うクリスチャンがおります。しかしパウロは、「アバ、父よ」といって祈っていたんです。またイエス・キリストがそうでした。それは、十字架の死を目前にしたゲッセマネの園《その》で、「アバ、父よ」といって祈られたことを見てもわかります(マルコ伝一四章三六節)。

初代教会においては、皆、神様に対して近しく「お父さん、お父さん」と言ったんです。神様に贖《あがな》われた魂は、そう呼《よ》ぶものなんです。叫《さけ》ぶものなんです。

かつては奴隷《どれい》根性で、遠くから恐《おそ》ろしがって神を拝《おが》んだ時もあります。今のバルト神学なんかは「恐れの神学」などといって、神は恐れなければいかんと言います。もちろん恐ろしいことは知っています。しかしながら、それにも勝《まさ》って、神様がこんな罪のやくざな男を救ってくださったと思うと、恐《おそ》ろしさよりも、有《あ》り難《がた》さのほうが私には先です。

愛のゆえに、恐ろしさをも忘《わす》れてしまって生きております。

神人共同の証明

御霊《みたま》みずから、わたしたちの霊と共に、わたしたちが神の子であることをあかしして下さる。

（八章一六節）


私たちが神の子であることを、私たちの霊魂と一緒《いっしょ》に、神の御霊が証《あか》ししてくださる。

ここで「あかしする」と訳《やく》された語は、「συν《シュン》 共に、一緒に」と「μαρτυρεω《マルチュレオー》 証しする」が一つになった「συμμαρτυρεω《シュムマルチュレオー》」というギリシア語で、「共同で証しする」という意味です。

このギリシア語のマルチュレオーから、英語のmartyr《マーター》（殉教者《じゅんきょうしゃ》）という語が出ています。

私たちが神の子であるという福音の真理を、殉教をも覚悟《かくご》で証ししようとする時に、神の霊もまた共に働いて証ししてくださるというのです。御霊が私たちの胸《むね》の中で激《はげ》しく証ししていることが感じられなければ、こういうことは言えません。

この神人共同の証明書こそ、新約聖書の『使徒行伝』であります。聖霊に満たされ、聖霊にバプテスマされた状態においては、ほんとうに御霊《みたま》が証《あか》ししてくださるということが、よくわかります。

人生、ひどい迫害《はくがい》に遭《あ》うことがあります。または人から理不尽《りふじん》なことをされたりします。しかし、私には一人の証《あか》し人《びと》がおりまして、その証し人がいつも囁《ささや》きかけてくれるんです。「手島郁郎よ、おまえが正しいのだ。他人はああいうことを言うけれども、それでよいのだ」と言って証ししてくださるから、私は自分の信仰を支えておる。神の霊が私の内でガンガンと証ししてくださいますから、私はそれで満足しております。だから、他人の証しを求めません。科学や哲学《てつがく》で証明されることを求めません。神の霊が証ししてくださるならば十分です。

もし子であれば、相続人でもある。神の相続人であって、キリストと栄光を共にするために苦難《くなん》をも共にしている以上、キリストと共同の相続人なのである。（八章一七節）

キリストが神の相続人であられるように、私たちも神の子であるというからには、神の相続人であります。神の国を嗣《つ》ぐ者であります。私たちもキリストと栄光を共にするために、苦難を共にしているんですから、キリストと共同の相続人なのです。

全被《ぜんひ》造物《ぞうぶつ》の切なる願い

わたしは思う。今のこの時の苦しみは、やがてわたしたちに現されようとする栄光に比べると、言うに足りない。被造物は、実に、切なる思いで神の子たちの出現を待ち望んでいる。

（八章一八、一九節）

人間は被造物の仲間でありながら、神の霊を、造り主の霊をもつ生物となる。これを全被造物が切なる思いで待っている。

すなわち神の子の発生こそ、全被造物の進化の目標であり、完成なのであります。

ここに、「被造物は、実に、切なる思いで神の子たちの出現を待ち望んでいる」とありますが、「αποκαραδοκια《アポカラドキア》　切なる思い」と訳《やく》してある語は、強意を表す「απο《アポ》」と、「καρ《カル》　首、頭」、「δοκεω《ドケオー》　見つめる」の合成語で、「鶴《つる》が首を伸《の》ばすような思いで、見つめるようにして」一途《いちず》に待ち望んでいるという意味です。全被造物が鶴首《かくしゅ》して、ひたすら神の子たちの出現を待ち望んでいるのです。

また、「απεκδεχομαι《アペクデコマイ》　待ち望む」という語は、「απο《アポ》(〜離《はな》れて)+εκ《エク》(外に出て)+δεχομαι《デコマイ》(迎《むか》え入《い》れる)」からきており、「απο《アポ》」と「εκ《エク》」は強意の前置詞です。ですから、「手を差《さ》し伸《の》ばして待ち望んでいる、一日千秋の思いで待ち望んでいる」という意味になります。

アメーバやミミズ、トカゲのような類から、数十億年かかって、ついに人類にまで進化した。

さらにこの人類の進化の目標は、霊的人類の発生にある。

古いアダムではなくして、新しいアダム、すなわちキリストの霊をもつ新人類の発生。

これを、全被造物《ぜんひぞうぶつ》の進化の頂点《ちょうてん》として考えているのが聖書であります。

私どもは、そのことを知らねばなりません。神様が私たちに御霊《みたま》を注ぎたもうたということは、実に進化の絶頂《ぜっちょう》に向かってここまで至《いた》ったことなのである。私たちはもっと気位《きぐらい》を高くして、ますます励《はげ》んで霊的生活を全うしなければなりません。

霊的人類の発生

霊的な人間の発生、これが人類の最高峰《さいこうほう》である。

優《すぐ》れた偉人《いじん》、聖者というものは、皆、霊的でした。キリストといい、ソクラテスといい、お釈《しゃ》迦《か》さんといい、すべて霊的な人でした。旧約の多くの預言者たちも霊的でした。霊的な人間の発生、これが進化の絶頂《ぜっちょう》であります。

ベルクソンというユダヤ人哲学者《てつがくしゃ》が『創造的進化《そうぞうてきしんか》』という本を書いておりますけれども、結論《けつろん》として、人間が生命の飛躍《ひやく》を成《な》し遂《と》げて、霊の飛躍に至《いた》ることである。それは愛の飛躍である。神秘《しんぴ》な霊的な人間こそ、全人類の目標であり、哲学の目標である、ということを言っております。

今は、霊というものが卑《いや》しめられ踏《ふ》みにじられている時代ですから、このように哲学者が叫《さけ》んでも、一般《いっぱん》の人は耳を貸しません。しかし聖書は、また優《すぐ》れた哲学者は皆、霊的人類というものを問題にしております。まさに宗教は、それを成就《じょうじゅ》するものでなければなりません。

なぜなら、被造物《ひぞうぶつ》が虚無《きょむ》に服したのは、自分の意志によるのではなく、服従《ふくじゅう》させたかたによるのであり、かつ、被造物自身にも、滅《ほろ》びのなわめから解放されて、神の子たちの栄光の自由に入《い》る望みが残されているからである。（八章二〇、二一節）

「虚無」というのは、存在《そんざい》の意味を失っているというふうに解されますが、そうではありません。全被造物が、霊的な生物の発生ということを目指して、皆、土台になってくれたんです。人類は猿《さる》のような霊長類の一種ですが、この人類を生み出すために、多くの被造物が土台というか、足場になってくれた。

人類は今の程度で止《とど》まっていてはいけません。もっと霊的な人類、神の子とも言われるべき人類に進化しなければ、今までの多くの被造物《ひぞうぶつ》の努力というものは無駄《むだ》になってしまいます。

人間も動物です。動物でありながら神の域《いき》に達するんです。

実に、神の子たちの出現こそは、全被造物が待ち望む、生命進化の目標なのです。

（一九六五年七月二十八日　①）

＊本稿《ほんこう》（第一九、二〇講）は、和歌山県那智《なち》勝浦《かつうら》町で開かれた、原始福音・勝浦夏期聖会におけるロマ書講義の筆記。

〔第二〇講　ロマ書八章二二〜三九節〕

22実に、被造物《ひぞうぶつ》全体が、今に至《いた》るまで、共にうめき共に産みの苦しみを続けているこ
とを、わたしたちは知っている。23それだけではなく、御霊《みたま》の最初の実を持っているわ
たしたち自身も、心の内でうめきながら、子たる身分を授《さず》けられること、すなわち、か
らだのあがなわれることを待ち望んでいる。24わたしたちは、この望みによって救われ
ているのである。しかし、目に見える望みは望みではない。なぜなら、現に見ている事
を、どうして、なお望む人があろうか。25もし、わたしたちが見ないことを望むなら、
わたしたちは忍耐《にんたい》して、それを待ち望むのである。
26御霊もまた同じように、弱いわたしたちを助けて下さる。なぜなら、わたしたちは
どう祈ったらよいかわからないが、御霊みずから、言葉にあらわせない切なるうめきを
もって、わたしたちのためにとりなして下さるからである。
27そして、人の心を探《さぐ》り知るかたは、御霊の思うところがなんであるかを知っておら
れる。なぜなら、御霊は、聖徒のために、神の御旨《みむね》にかなうとりなしをして下さるから
である。28神は、神を愛する者たち、すなわち、ご計画に従《したが》って召《め》された者たちと共に

働いて、万事《ばんじ》を益となるようにして下さることを、わたしたちは知っている。
29神はあらかじめ知っておられる者たちを、更《さら》に御子《みこ》のかたちに似たものとしようと
して、あらかじめ定めて下さった。それは、御子を多くの兄弟の中で長子とならせるた
めであった。30そして、あらかじめ定めた者たちを更に召《め》し、召した者たちを更に義と
し、義とした者たちには、更に栄光を与《あた》えて下さったのである。
31それでは、これらの事について、なんと言おうか。もし、神がわたしたちの味方で
あるなら、だれがわたしたちに敵し得ようか。32ご自身の御子をさえ惜《お》しまないで、わ
たしたちすべての者のために死に渡《わた》されたかたが、どうして、御子のみならず万物をも
賜《たま》わらないことがあろうか。33だれが、神の選ばれた者たちを訴《うった》えるのか。神は彼らを
義とされるのである。34だれが、わたしたちを罪に定めるのか。キリスト・イエスは、
死んで、否《いな》、よみがえって、神の右に座《ざ》し、また、わたしたちのためにとりなして下さ
るのである。
35だれが、キリストの愛からわたしたちを離《はな》れさせるのか。患難《かんなん》か、苦悩《くのう》か、迫害《はくがい》か、
飢《う》えか、裸《はだか》か、危難《きなん》か、剣《つるぎ》か。
36「わたしたちはあなたのために終日、

死に定められており、
ほふられる羊のように見られている」

と書いてあるとおりである。

37しかし、わたしたちを愛して下さったかたによって、わたしたちは、これらすべての事において勝ち得て余りがある。

38わたしは確信する。死も生も、天使も支配者も、現在のものも将来《しょうらい》のものも、力あるものも、39高いものも深いものも、その他どんな被造物《ひぞうぶつ》も、わたしたちの主キリスト・イエスにおける神の愛から、わたしたちを引《ひ》き離《はな》すことはできないのである。

第二〇講

霊言の力　ロマ書八章二二～三九節

実に、被造物《ひぞうぶつ》全体が、今に至《いた》るまで、共にうめき共に産みの苦しみを続けている(進化の苦しみを続けている)ことを、わたしたちは知っている。それだけではなく、御霊《みたま》の最初の実を持っているわたしたち自身も、心の内でうめきながら、子たる身分を授《さず》けられること、すなわち、からだのあがなわれることを待ち望んでいる。わたしたちは、この望みによって救われているのである。

(八章二二～二四節)

ここに、「心の内でうめく」とありますが、これは異言《いげん》を意味します。産婦が赤《あか》ん坊《ぼう》を産む時に、うめきながら産みますように、魂が誕生《たんじょう》するために、まず異言状態というか、心の中でうめくような状態が始まります。それは、霊的な陣痛《じんつう》の始まりでありまして、やがて驚《おどろ》くべき新生の喜びが待っています。

＊異言《いげん》…神の霊に触発《しょくはつ》されて発言する霊の言葉。聖霊の賜物《たまもの》の一つ。

異言は御霊《みたま》による最初の実

聖霊に満たされて異言を語りだしたら、なんと有り難《あがた》いだろうか、うれしくてたまらない、と皆さんが言われる。「異言なんてつまらん」と言う人がいますが、経験しない人にはつまらんかもしれません。しかしながら、経験した者にはうれしくてたまらない。御霊が言いがたきうめきをもって執《と》り成《な》しておる。肉なる人間でありながら、神の霊言が自分の口からついて出て、預言者のごとく語りだす経験があります。

普通の人から見れば、朝っぱら早くから海岸に出て異言で祈らんでもいいのに、幕屋の人はつまらんことをする、と思われるかもしれない。しかし、私たちは新約聖書の霊修をやっているのである。この祈りによって、実に自分の体まで贖《あがな》われてしまうようなことが起きる。霊的な体というか、霊的な器《うつわ》となってゆくんです。

＊霊修…聖霊の世界に入るために、霊的突破《とっぱ》を求めて祈りに取り組むこと。

古代の教父たちの注解書を見ると、「御霊の最初の実とは、コンバージョン（回心）した時に、最初に異言《いげん》を語る状態、それを言う」とあります。

異言は、やっと一つ実った、最初の霊の実にしかすぎません。

それは心の内でうめくという程度の実です。つまらんと言えばつまらんです。しかしながら、やがてこの実が大きく成長していったら、どんなに素晴《すば》らしいだろう。心の内でうめくように異言で祈りつつ、神の子たる身分が授《さず》けられること、体の贖《あがな》われることを待ち望んでゆく。この望みによって救われる。

パウロはこれをほんとうに信じて生きたんです。それによって、あの迫害者《はくがいしゃ》だったサウロ（回心前のパウロ）が、キリストの使徒として、自分の信仰を築き上げていったんです。

私たちはロマ書をそのまま読んだらいいんです。

もう一度言います、御霊の最初の実というのは異言のことです。聖霊が私たちに突《つ》っ込《こ》んできたために、もう自分の身体《からだ》が異常な状況《じょうきょう》になって、口の中で「あー、あー」とうめくような異言が噴《ふ》き出《だ》してくる。これは小さな出来事ではない。この異言がきっかけになって、大きく私たちは救われるのであります。

このロマ書八章について、有名な先生がたの講義録を読んでみても、ほんとうにはおわかりでないなあと思います。これは異言が伴《ともな》うような深い聖霊経験がなければ、読めるものでありません。聖霊に満たされ、聖霊に導かれる人間になりますと、この世の学者、知恵《ちえ》ある者が、いかに貧弱《ひんじゃく》な知恵を振《ふ》り回《まわ》しているかということが、よくわかります。今の神学者や聖書学者には、全然パウロの心が読めない。読もうと思っても、自分に経験が伴《ともな》わないからわからないのです。

しかし、目に見える望みは望みではない。なぜなら、現に見ている事を、どうして、なお望む人があろうか。もし、わたしたちが見ないことを望むなら、わたしたちは忍耐《にんたい》して、それを待ち望むのである。（八章二四、二五節）

これは始まりであって、もっと霊的生活というか、御霊《みたま》による生活、御霊にありて祈る生活というものを続けますと、ぐんぐん信仰が成長してまいります。またこのことを待ち望むならば、誰《だれ》にでも与《あた》えられます。

どうしたら強くなれるか

御霊もまた同じように、弱いわたしたちを助けて下さる。なぜなら、わたしたちはどう祈ったらよいかわからないが、御霊みずから、言葉にあらわせない切なるうめきをもって、わ

たしたちのためにとりなして下さるからである。（八章二六節）

ここは重大です。どうして私は信仰が進まないのでしょうか、どうして私の信仰は弱いんでしょう、と言う人たちがあります。その人たちは、強くなる方法を知らないんです。

私たちは、弱い信仰をどうやったら強めてゆくことができるか。これが、多くの皆様の問いだろうと思います。それは、「強いものと共に信仰する」ということを知らないことからきます。

強いものとは何か。聖霊なる助け主、金剛力《こんごうりき》を発揮《はっき》するような助け主です。

イエス・キリストは直弟子《じきでし》たちに言われました、

「助け主、すなわち、父がわたしの名によってつかわされる聖霊は、あなたがたにすべてのことを教える」（ヨハネ伝一四章二六節）と。

イエス・キリストの名を呼《よ》ぶと、誰《だれ》がやって来るかというと、聖霊がやって来る。

イエスの御霊《みたま》が彷彿《ほうふつ》としてやって来て、助けてくださる。

こういう信仰のあり方を知らなければ、なかなか私たちの信仰は強まりません。宗教書を読んだり、神学書をめくったり、聖書研究会に行って研究したり、そんなことで強くなるものか。頭は良くなるかもしれないが、霊が強くならずにどうしましょう。

弱い自分を何が強めてくださるか、助けてくださるかというと、助け主なる御霊《みたま》が助けてくださる。神の霊が助けるんです。だから、神の霊によって祈る信仰生活ということを身につけなさらなければ、いつまでも弱い信仰に止《とど》まります。

八章二六節に、

「わたしたちはどう祈ったらよいかわからないが」とあります。

自分の理性や心は、「どうしたらいいだろう、こんな重大な問題は」といって、千々に思《おも》い悩《なや》むようなことがあります。それは自分が弱いからです。しかし、もう一つは自分がわからないからでもあります。人生、そういう問題にしょっちゅう出くわします。そのたびに、人に頼《たよ》ったってだめです。それで、教友のかたが、

「先生、どうなんでしょう、祈ってください」などと言ってこられるときに、私は知らん顔をします。

「あなたは、信仰があるでしょうが。あなたが自分で解決したらどうなんです?」と言って、突《つ》っぱねます。私は坊《ぼう》さんじゃないから、いちいち相談に乗ったり、祈ったりはしません。

一人ひとりが自由に自立することが大事なんです。神の子となることが大事です。神の子が、他の者にそんなに相談はしませんよ。もちろん相談してもよいけれども、神の子らしい考えとい

うものがあるわけです。

言葉に表せない切なるうめき

どう祈ったらよいかわからない。そんな場合にどうしたらよいかというと、二六節に、「御霊《みたま》みずから、言葉にあらわせない切なるうめきをもって、とりなして下さる」とあります。この「言葉にあらわせない切なるうめき」というのは、異言《いげん》のことをいうんです。

言葉に言い表せない切なるうめきが、どうして異言なのですか？　それは、手島郁郎の独断だと言われるかもしれません。しかし、聖書学者で有名な山谷省吾《やまやせいご》氏のロマ書の注解書には、「言葉に表せない切なるうめきというのは、原始教会においては異言による祈りを指すのである。それが最も深い祈りであることは疑《うたが》いがない」ということが書いてあります。昔から、これは異言を意味したんです。

主イエスのご昇天《しょうてん》後、弟子《でし》たちが心を一つにしてひたすら祈っておりました時に、「天より火の如《ごと》きもの舌のように現れ、分れて各人《おのおの》の上にとどまる。彼らみな聖霊にて満され、御霊の宣《の》べしむるままに、異邦《ことくに》の言《ことば》にて語りはじむ」（使徒行伝二章三、四節）とあります。

これこそペンテコステの朝の出来事であり、キリストのエクレシアの誕生《たんじょう》となりました。その時、聖霊に満たされた弟子《でし》たちの口から、異言《いげん》がほとばしるように出たのであります。

＊エクレシア…キリストに呼《よ》び出《だ》された者の群れ。

その後、イエス・キリストの弟子の一人であるペテロは、ローマ軍の百卒長コルネリオに招かれてカイザリヤに行きまして、福音を説きました。すると、

「ペテロがこれらの言葉をまだ語り終えないうちに、それを聞いていたみんなの人たちに、聖霊がくだった。割礼《かつれい》を受けている信者で、ペテロについてきた人たちは、異邦人《いほうじん》たちにも聖霊の賜物《たまもの》が注がれたのを見て、驚《おどろ》いた。それは、彼らが異言を語って神をさんびしているのを聞いたからである」（使徒行伝一〇章四四～四六節）とあります。

このように、使徒行伝は至《いた》るところで異言について記しております。

またパウロは、

「わたしは、あなたがたのうちのだれよりも多く異言が語れることを、神に感謝する」（コリント前書一四章一八節）と言って、殊《こと》に異言の祈りを尊《とうと》びました。

異言の祈りに支えられて

私が伝道に立つ前後のことでした。人生に行《ゆ》き暮《く》れて、祈るともなしに聖前《みまえ》に嘆《なげ》きました。

「神様、私は終戦後の日本において、何をしたらよいでしょうか。いろいろな会社を経営してみましたけれども、もうこの世の仕事はしたくありません。何か私を使ってください」と祈っておりました。

その当時、私の前の家内は結核《けっかく》で死にかかっておりました。結核に効く薬がなかった時代ですから、家内は必死に私に祈りを求めました。

「あなたが祈ってくださると、喉頭《こうとう》結核の痰《たん》が切れて楽になります」と言うんです。まさかそんなことと思うけれども、私が按手《あんしゅ》して祈ってやると、確かに楽になるんです。

家内は私に長く祈らせるんです。初めは真剣《しんけん》でしたけれども、私も忙《いそが》しくて大変です。

「神様、神様、愛する姉妹をどうか楽にしてやってください。昨日は痰が切れたと言って、あんなに喜んでいましたが、今日はどうしてくれるんですか。神様、神様……」と、美辞麗句《びじれいく》の祈りじゃない、ありのままを嘆訴《たんそ》して祈るばかりでした。

しかし、そうやって祈っている間に、体じゅうがしびれだしたんです。そして、「ハハハッ」と笑いたいようなうれしさが突《つ》き上《あ》げてたまらなくなった。気がついた時には、異《こと》なる言葉が口から噴《ふ》き出《だ》しておりました。それは昭和二十三年五月のある日の出来事でした。

やがて私は孤立無援《こりつむえん》の中、独立伝道に立ちました。

私は、現今の無力なキリスト教の牧師や神父のような、ありきたりの伝道はしたくなかった。生けるキリストの力が如実《にょじつ》に働くようなカリスマ的な伝道は、どうやったらできるか。必死になって使徒行伝、その他を読んで祈りました。

思い当たったのは、異言《いげん》の祈りでした。

私は十八歳《さい》の学生時代に、ある夜、下宿屋の一室でインドの聖者スンダル・シングの本を読んでいますと、急にその部屋がまばゆいような白光《びゃっこう》に満ちて、初めて霊に浸《ひた》る経験に入りました。わが主キリストを思っては熱涙《ねつるい》あふれ、異言状態となったことがあります。

しかしその後、バルト神学などをかじったりしたために、神秘的《しんぴてき》経験を卑《いや》しめるようになると、かつては腸《はらわた》の底からほとばしり出た異言の祈りの火が、いつしか消えてしまっていました。一度失った祈りの火を回復することは並大抵《なみたいてい》のことではありません。再び異言を回復できた時には、どんなに有《あ》り難《がた》かったかわかりません。

私がこの十五、六年間、一筋《ひとすじ》に原始福音の伝道を続けることができたのも、この異言の祈りに支えられたからこそだといっても、決して過言ではありません。人々の無理解、故《ゆえ》なき迫害《はくがい》、悪質な罵詈《ばり》雑言《ぞうごん》にひるみそうになったこと、幾度《いくたび》だったでしょう。しかしそのたびに、私は独り密室《みっしつ》にこもって、キリストの御瞳《おんひとみ》だけを仰《あお》いで、泣きながら異言で祈ってきました。そして勇躍《ゆうやく》、聖前《みまえ》に立ち上がる力を得たのです。

御霊《みたま》が助けてくださる

二六節に、

「御霊もまた同じように、弱いわたしたちを助けて下さる。なぜなら、わたしたちはどう祈ったらよいかわからないが、御霊みずから、言葉にあらわせない切なるうめきをもって、わたしたちのためにとりなして下さる」とあります。

ここに、聖霊と私たちの魂とが密着《みっちゃく》している姿《すがた》があります。

イエス・キリストは、

「あなたがたがわたしにつながっており、わたしの語りかける言葉があなたがたの中にとどまっているならば、なんでも望むものを求めよ。そうすれば、与《あた》えられるであろう」（ヨハネ伝一五章七節）と弟子《でし》たちに言われました。

この御霊が語りかける言葉というものは、必ずしも異言《いげん》だけではありません。聖霊に満たされた状態において語られる言葉です。それは普通の言葉でもよいし、異言であってもいいです。

いずれにしろ、その言葉は不思議な力をもちまして、弱い私たちを助けてくれるのであります。

デュプレシー師を迎えて（1965年　勝浦聖会）

オーラル・ロバーツ悩《なや》みし時に

オーラル・ロバーツといえば、当代きってのアメリカのカリスマ的伝道者です。しかし五年前に、彼が大変に不調をかこった時期がありました。

大集会を開いても神癒《しんゆ》は起こらないし、回心者も少ないので伝道がもたつき、心身共に疲労《ひろう》しておりました。

その頃《ころ》のことです。この場（勝浦《かつうら》聖会）に来ておられる、D・J・デュプレシー師に自分の苦悩《くのう》を訴《うった》えましたところ、デュプレシー師は、

「『異言《いげん》を語る者は自分を建徳する』（コリント前書一四章四節）と聖書にあるのに、少

しも自分の霊性の向上に努めずに、あなたが他人を救うことができなくなるのも当然です。人々を高め救う前に、まず自分を建て、高めるべきです。『わたしの按手《あんしゅ》によって内にいただいた神の賜物《たまもの》を、再び燃え立たせよ』(テモテ後書一章六節)とパウロも言っている。霊において祈る異言《いげん》の賜物を常に燃え立たせよ！」と答えました。

オーラル・ロバーツは、それを聞いて悔《く》い泣き、密室《みっしつ》に閉《と》じこもり、聖前《みまえ》にひれ伏《ふ》して祈りました。

「神よ、あなたはもう御霊《みたま》を私から取り去られたのでしょうか？　私を捨《す》てられたのは、何の罪のゆえでしょうか」と嘆《なげ》き訴《うった》えました。

キリストはその時、次のように彼に示されました、

「おまえのどの罪のゆえでもない。また御霊がおまえを去ったのでもない。ただ、おまえは神の賜物、異言の祈りを燃え立たせることを忘《わす》れていたのだ」と。

彼は悔いて三日間、徹夜《てつや》で、英語と異言で繰《く》り返《かえ》し繰り返し祈りつづけました。三日間ぶっ通しの祈りから立ち上がった彼は、もう別人のごとくに聖霊の力に満ちあふれていました。集会を始めると、驚《おどろ》くべき奇跡《きせき》が続出し、以前に勝《まさ》るカリスマ的大伝道を繰り広げてゆきました。

このことは、私たちにも大きな教訓ではないでしょうか。お互《たが》い聖霊の囁《ささや》きを聴《き》きながら、安

定を打ち破り、心の壁《かべ》を打ち破って、積極的に出てゆかねばなりません。

異言《いげん》の祈りは電光石火のごとく

そして、人の心を探《さぐ》り知るかたは、御霊《みたま》の思うところがなんであるかを知っておられる。なぜなら、御霊は、聖徒のために、神の御旨《みむね》にかなうとりなしをして下さるからである。神は、神を愛する者たち、すなわち、ご計画に従《したが》って召《め》された者たちと共に働いて、万事《ばんじ》を益となるようにして下さることを、わたしたちは知っている。（八章二七、二八節）

どうか皆さん、ロマ書のクライマックスが私たちの経験でなければなりません。

多くの人は経験なくして、「ああだ、こうだ」と勝手なことを言います。しかし私たちは、このロマ書が、「そのとおり、アーメン！」といって読めるじゃないですか。また、これが読めるような状況《じょうきょう》に立《た》ち至《いた》られるよう、私は願います。そのことが、実生活においていかに役立つかということを知っていただきたいのであります。

私たちは、どうしたらよいかわからない場合がたくさんあります。

そのような場合に、御霊が私たちと共に、言いがたいうめきをもって、執《と》り成《な》してくださる。

御霊《みたま》と共に切なるうめきをもって、「こうすればいいんだ、こうなんだ、こうなんだ」といって教えてくださる。聖霊はどんなに囁《ささや》きかけるかわかりません。

先ほどもお話ししましたが、弱い信仰を嘆《なげ》く私たちは、どうしたら強くなれるか。強いものが私たちの胸《むね》の中に入ってきて、いろいろな困難《こんなん》な問題、難《むずか》しい問題についても、電光石火のごとく、両刃《もろは》の剣《つるぎ》のごとくに解決してくれる方法と力が必要なんです。

そのために大事なことは異言《いげん》で祈るということです。

たとえば、数年前のことでした。大阪にいる私のところに、熊本の親しい教友の丸野忠代《ただよ》さんから、真夜中の二時頃《ごろ》に電話がかかってきました。

「娘《むすめ》の順子《のぶこ》が非常な難産で、三日間も苦しんでおります。お医者さんは、『注射《ちゅうしゃ》を打って、鉗子《かんし》をかけて赤ちゃんを引き出そう』と言います。まあ、それがよいようにも思いますが、先生、どう思われますか」

その時、私は即座《そくざ》に言いました、

「直ちに帝王切開《ていおうせっかい》なさい。そうでないと取り返しがつかぬことになる」と。

「医者は、『それでは母体がもたない』と言います」

「もつも、もたぬもない。そうする以外にない」

私はめったにそんなことは言わんのです。祈りの力を知っておりますからね。

彼女は、医者の言うことに反して、私の言うとおり、帝王切開《ていおうせっかい》した。すると、「ああ、よかった。これは帝王切開しなかったら、大変なことになっていた。母子共に助からなかった」と、医者までが言うときに、これは何です。産婦人科の専門《せんもん》の医者が現場で産婦を見ているんです。そして逆子だと言う。

ところが切開してみたら、逆子でなかった。臍《へそ》の緒《お》が赤ちゃんの首に巻《ま》きついていたために、難産《なんざん》したことがわかりました。遠く離《はな》れている私が、ハッとなぜ的確な指示ができるか。私は、御霊《みたま》の知恵《ちえ》は不思議だと思いました。

そういう行《ゆ》き詰《づ》まった時に、医者に頼《たの》んでもどうにもならないと思って、お母さんの丸野さんが私の指示を求めなさった。そして一貫目《いっかんめ》(三・七五キロ)もの坊《ぼう》やが生まれました。

霊で祈り、知性で祈る

このたびの勝浦聖会でも、私は天候のことを案じました。梅雨《つゆ》はまだ明けていない。そして、聖会が始まる七月二十六、七日頃《ごろ》には台風がやって来て、太平洋は大荒《おおあ》れになると報道しています。さあ荒れたら、どうやって小舟《こぶね》でホテルがある島まで渡《わた》ることができるか。主催者《しゅさいしゃ》の皆の頭を悩《なや》ませた問題です。

けれども、私は異言《いげん》で祈って解決したんです。異言で祈っておる時に、神の御霊《みたま》は私に、「その問題は考慮《こうりょ》せずにやってよい」と示されたから、なんら心配せずに私は聖会を実行しました。大丈夫《だいじょうぶ》、天候は祝福されるに決まっている。それは、自分がただ一人で決めたのではありません。神の霊が私に囁《ささや》いたのです。

私たちには、どうしたらよいかわからんような問題がたくさんあるんです。けれども、言いがたきうめきをもって執《と》り成《な》す者と共に祈る祈り、霊をもって祈り、知性をもって祈り、霊をもって祈るという祈りを繰《く》り返《かえ》すと、ほとんどの問題の解決は鮮《あざ》やかに示されるということです。鮮やかに解決に導かれます。

ここに霊的生活の歩み方というものがあります。

それで、たっぷり霊で祈る、異言で祈るということを止めてはなりません。これは実に素晴《すば》らしいことです。このことを経験しなければ、ロマ書もわかりません。

私たちにはロマ書が読める。読めるだけじゃない、今後は実行しなければなりません。

御霊は神の御旨《みむね》を知っております。そして、執り成しております。私たちは、御霊の言うことは異言状態ですから、何かよくわからない。しかし、努めて霊において祈り、心で祈ることを繰り返しておりますと、やがて「ああーっ」とわかってしまう、いろんな問題につきましてね。重大な計画にあたっては、殊《こと》のほか異言《いげん》で祈り、霊で祈るということが大事です。そのときに強められるんです。

神はあらかじめ知っておられる者たちを、更《さら》に御子《みこ》のかたちに似たものとしようとして、あらかじめ定めて下さった。それは、御子を多くの兄弟の中で長子とならせるためであった。そして、あらかじめ定めた者たちを更に召《め》し、召した者たちを更に義とし、義とした者たちには、更に栄光を与《あた》えて下さったのである。

（八章二九、三〇節）

私たちは、ただ聖霊にバプテスマされたからよいのではありません。聖霊にバプテスマされて、異言で祈っている間に、ついに神の御子イエス・キリストに似た人間に変わってゆくところに目標があるんです。これが人間の意義であり、永遠の目標です。イエス・キリストのごとき優《すぐ》れた尊《とうと》い神のかたちに似る者となるために、霊的な祈りをずっと捧《ささ》げねばなりません。イエス・キリストのごとくに純化《じゅんか》され、霊化されること、これこそが人間の理想です。

黄金が火の溶鉱炉《ようこうろ》によって純化《じゅんか》されるのであれば、私たちは神の子となるために患難《かんなん》の溶鉱炉をも喜びとしたいと思います。パウロは、

「神を愛する者、すなわち御旨《みむね》によりて召《め》されたる者の為《ため》には、すべてのこと相働《あいはたら》きて益となるを我らは知る」（ロマ書八章二八節）と言いました。

キリストの愛から離《はな》れしむるものはない

それでは、これらの事について、なんと言おうか。もし、神がわたしたちの味方であるなら、だれがわたしたちに敵し得ようか。ご自身の御子《みこ》をさえ惜《お》しまないで、わたしたちすべての者のために死に渡《わた》されたかたが、どうして、御子のみならず万物《ばんぶつ》をも賜《たま》わらないことがあろうか。（八章三一、三二節）

これはもう、何らの注解も要しません。全くそのとおり、「しかり、アーメン」です。パウロが書きましたものの中で、いちばん有名なのはロマ書です。そのロマ書の中心の八章が言おうとしておることは何か、こうして読んでみるとおわかりでしょう。これは、「第六福音書」

と言われるぐらいに、信仰のクライマックスを、奥義《おくぎ》をうたっております。

私たちはいろいろな人生の問題、どう祈るべきかわからんような問題、神の御心《みこころ》がわからんような問題、いろいろとあります。しかし、私たちに注がれた御霊《みたま》は、神の御心を、御旨《みむね》を知っておりまして、「ああ、肉なる人間よ、おまえがわかればいいのに」と、言いがたき嘆《なげ》きをもって異言《いげん》状態で執《と》り成《な》してくれているんです。それを、ハッと悟《さと》るような性質が出てきますと、これによって救われるんです。

このような霊的な歩き方を、ほんとうにできるクリスチャンが日本に発生することが、どうしても必要だと思います。現今のいわゆるクリスチャンと称《しょう》される人たちとタイプの違《ちが》った、優《すぐ》れたクリスチャンが発生することが大事です。

「愛は一切《いっさい》に打ち勝つ」と言いますが、霊的な神の愛の息吹《いぶき》にいぶかれる神秘《しんぴ》な喜びがあります。信仰の勝利、生の凱歌《がいか》は愛の力にあります。

だからこそパウロは、キリストの愛の実存《じつぞん》に包摂《ほうせつ》され圧倒《あっとう》された大歓喜《だいかんき》を、最後に次のように叫《さけ》びました。

わたしたちをキリストの愛から離《はな》れしむるものは何ものぞ、

患難《かんなん》か、苦悩《くのう》か、迫害《はくがい》か、飢《う》えか、裸《はだか》か、危難《きなん》か、剣《つるぎ》か。「汝《なんじ》のために我らは終日《ひねもす》殺され、屠《ほふ》られし羊の如《ごと》くされぬ」と記されてあるように、これらすべてのことにおいてわたしたちは、わたしたちを愛したもう者によって勝ちえて余りがある。わたしは確信する。死も生も、御使《みつか》いも権威《けんい》も、今あるものも後あるものも、力あるものも、高きも、深きも、その他の被造物《ひぞうぶつ》も、わたしたちの主キリスト・イエスにおける神の愛から、わたしたちを離《はな》しえないことを。

（八章三五～三九節　私訳《しやく》）

（一九六五年七月二十八日　②）

＊デヴィッド・J・デュプレシー…一九〇五～一九八七年。ペンテコステ派《は》の伝道者。聖霊のバプテスマを強調する、カリスマ的信仰運動の世界的指導者。勝浦聖会に参会。

＊第六福音書…新約聖書には、イエス・キリストの言行を記録した四つの福音書がある。さらに、旧約聖書のイザヤ書に記された「主の僕《しもべ》」の詩は、イエス・キリストのご生涯《しょうがい》にそっくりで、特に五三章を「第五福音書」と呼《よ》ぶ学者がいる。それに加えて、パウロのロマ書八章は「第六福音書」と言われることがある。

〔第二一講　ロマ書九章一～一六節〕

1わたしはキリストにあって真実を語る。偽《いつわ》りは言わない。わたしの良心も聖霊によ
って、わたしにこうあかしをしている。2すなわち、わたしに大きな悲しみがあり、わ
たしの心に絶えざる痛《いた》みがある。3実際、わたしの兄弟、肉による同族のためなら、わ
たしのこの身がのろわれて、キリストから離《はな》されてもいとわない。4彼らはイスラエル
人であって、子たる身分を授《さず》けられることも、栄光も、もろもろの契約《けいやく》も、律法《りっぽう》を授け
られることも、礼拝《れいはい》も、数々の約束も彼らのもの、5また父祖たちも彼らのものであり、
肉によればキリストもまた彼らから出られたのである。万物《ばんぶつ》の上にいます神は、永遠に
ほむべきかな、アァメン。

6しかし、神の言《ことば》が無効になったというわけではない。なぜなら、イスラエルから出
た者が全部イスラエルなのではなく、7また、アブラハムの子孫だからといって、その
全部が子であるのではないからである。かえって「イサクから出る者が、あなたの子孫
と呼《よ》ばれるであろう」

8すなわち、肉の子がそのまま神の子なのではなく、むしろ約束の子が子孫として認《みと》

められるのである。9約束の言葉はこうである。「来年の今ごろ、わたしはまた来る。
そして、サラに男子が与《あた》えられるであろう」。10それはかりではなく、ひとりの人、す
なわち、わたしたちの父祖イサクによって受胎《じゅたい》したリベカの場合も、また同様である。
11まだ子供《こども》らが生れもせず、善《ぜん》も悪もしない先に、神の選びの計画が、12わざによら
ず、召《め》したかたによって行われるために、「兄は弟に仕えるであろう」と、彼女に仰《おお》せ
られたのである。13「わたしはヤコブを愛しエサウを憎《にく》んだ」と書いてあるとおりであ
る。

14では、わたしたちはなんと言おうか。神の側に不正があるのか。断じてそうではな
い。15神はモーセに言われた、「わたしは自分のあわれもうとする者をあわれみ、いつ
くしもうとする者を、いつくしむ」
16ゆえに、それは人間の意志や努力によるのではなく、ただ神のあわれみによるので
ある。

第二一講

神の選びの計画　ロマ書九章一～一六節

ロマ書を読めば読むほど、パウロは偉大《いだい》な宗教的真理を述べておったものだと感心します。しかし、二千年前の蒙昧《もうまい》な時代に、パウロを起こしたもうた神はもっと偉大であったと思って、パウロの偉大さよりも、神の真理の深さに驚《おどろ》きます。

心が一つになるために

ロマ書の九章、一〇章、一一章は、ユダヤ人の問題を論《ろん》じています。ユダヤ人の少数はキリスト教徒になっても、なぜ大多数はならないのか。そのことは今に至《いた》るまで、二千年間も同様な状況《じょうきょう》が続いています。この問題は、特に聖地巡礼《じゅんれい》でイスラエルを訪《おとず》れようとする私たちにとっては、意味深長な問題です。

私たちが、キリストを崇《あが》めてこんなに喜んでいるのに、どうして彼らはそうでないのか。キリスト教というだけでも、彼らは偏見《へんけん》をもって非常に嫌《きら》います。なぜこんなに嫌うようになるまでユダヤ人を追《お》い込《こ》んでしまったのか、西洋のキリスト教会に対して歯がゆい思いがします。ところが、そのユダヤ人が、なぜか私たち原始福音の者たちに対しては、ほんとうに温かい気持ちをもって交わってくれます。

それで、近くイスラエルを訪問《ほうもん》するのを機に、ユダヤ人のための英文『生命の光』誌《し》を作りたいと思い、今、私の家の応接間で編集をしています。それは、私たちがいかにユダヤ民族を愛しているか、感謝しているか、というようなことを中心にした内容です。さらにもう一つ、クリスチャンに対する英文の証《あか》し号を作りたい。いろいろな人たちが、生けるキリストに触《ふ》れてどんなに喜んでおられるか、という実態を示すものにしたい。

その編集をしながら、私はつくづくユダヤ人問題に頭を痛《いた》めるわけです。ユダヤ民族とアラブ民族の仲が悪いだけではない、彼らはキリスト教に対して非常な偏見と憎《にく》しみをもっておりますから、憎まれるはずのクリスチャンである私たちが編集するということについては、難《むずか》しい問題があるわけです。良い反応を引き出そうと思うと、無用な反発は避《さ》けたいんです。でもそんなことは、もう説明になりませんからね。

好き嫌《きら》いといったようなことは理屈《りくつ》ではありません。嫌いと思《おも》い込《こ》んだら、それを直すのには愛以外にない、真実以外にないです。二つの心が一つになるということは、なかなか難《むずか》しい。人間同士でも、夫婦であっても難しいように、これは大変なことです。

私たちの原始福音運動は、あまりにユダヤ人に接近しすぎているという批判《ひはん》がありますが、私はあえて意に介しません。まあ、言う者には言わしておけと思うんです。それは、キリスト教の基礎《きそ》を作りましたパウロのものを読んだら、よくわかるからです。

パウロの悲しみ

ロマ書は、八章がいちばん大事なクライマックスです。そこでパウロは、

「わたしは確信する。死も生も、天使も支配者も、現在のものも将来《しょうらい》のものも、力あるものも、高いものも深いものも、その他どんな被造物《ひぞうぶつ》も、わたしたちの主キリスト・イエスにおける神の愛から、わたしたちを引《ひ》き離《はな》すことはできない」（八章三八、三九節）と、大勝利と大歓喜《だいかんき》をうたい上げました。

しかし、その彼が、この九章から、同胞《どうほう》であるユダヤ人の救いについて、まるで奈落《ならく》の底に落ちるように悲しみを訴《うった》えています。ユダヤ人がキリストを受け入れないからです。

一般《いっぱん》の教会のクリスチャンは、あまりユダヤ人に触《ふ》れていませんから、こういうところを読んでも興味もなく、ただ読み過ごします。何でこんなことを書いたんだろうと、ロマ書の付録のように思っているんですね。

しかし今の私にとっては、これは興味津々《しんしん》たる問題を提供《ていきょう》しています。ユダヤ人はなんと不思議な民族だろう、世界にこんな民族はないと思うんです。ユダヤ人問題、これはいったいどうなるのか。パウロはさすがに慧眼《けいがん》です。二千年後にこれを読んでも、少しも変わってない。偉《えら》いものです。

それでは九章の初めから読んでみます。

　わたしはキリストにあって真実を語る。偽《いつわ》りは言わない。わたしの良心も聖霊によって、わたしにこうあかしをしている。すなわち、わたしに大きな悲しみがあり、わたしの心に絶えざる痛《いた》みがある。（九章一、二節）

ここでパウロが、「わたしの良心も聖霊によって」と言うのは、「εν《エン》 Πνευματι《プニューマティ》 Αγιω《ハギオー》　聖霊において」です。霊感状態において、悲しみを神に訴《うった》えて祈っていることがわかります。すなわちパウロには、「大きな悲しみがあり（原文は、「悲しみは大きく」）、心に絶えざる痛《いた》みがある」。もう神経痛《しんけいつう》のように、絶えず痛みつづけさせる苦悶《くもん》というものがある。

それは何かということを、続く三節で述べています。

たとえアナテマとなっても

実際、わたしの兄弟、肉による同族のためなら、わたしのこの身がのろわれて、キリストから離《はな》されてもいとわない。（九章三節）

原文は最初に、「ηυχομην《エーウコメーン》 祈り願っている、切望している」という語があります。何を祈り願っているかというと、「キリストからわたし自身がのろわれてあることを」と続きます。すなわち、自分の兄弟たち、肉にある同族のためならば、自分はキリストから「αναθεμα《アナテマ》 のろわれたもの」となってもよい、と言うんです。

アナテマというのは、元来は「神の犠牲《ぎせい》に献《ささ》げられたもの」という良い意味ですけれども、神に献げられたものは神聖ですから、タブー（禁忌《きんき》）です。そこから「触《さわ》ってはいけない」というような悪い意味に使われるようになって、「のろい、のろいのもの」という意味に転化しました。

私自身がアナテマ（のろい）となって、キリストから離《はな》されてもいとわない。

原文は、「離されてもいとわない」ではなく、「離されることさえ祈り願っている」です。まだ聖霊に霊化されていない同胞《どうほう》のためならば、自分自身がのろわれてもよい、死んだほうがましだとパウロは思った。

今朝、関西のあるご婦人から手紙が来ました。その中に次のようなことが書いてありました。「いろいろなかたが、ご主人たちを次々とこの福音に導いてこられて、夫婦共々に喜んでおられます。私はいちばん古い信仰経歴をもっておりながら、なぜ自分の夫を導けないのでしょうか。以前は、私の信仰を迫害《はくがい》していた夫でしたが、今は迫害はしません。自由に許していてはくれますが、いつになったら、共に神様を拝《おが》む日があるでしょうか。そう思ったら、もうたまりません」と。

それは、ご主人が救われるならば、自分は死んでもよいというような気持ちです。愛する者が救われるためには、もう自分は喜んで犠牲《ぎせい》になりたいと思っておられる。そのことが、耐《た》えざる痛《いた》み、心の深い悲しみとなって、うずいてならない。

このご婦人の気持ちを察しなさいますと、おわかりになると思います。そういうような意味において、パウロは言っているんですね。

彼らはイスラエル人であって、子たる身分を授《さず》けられることも、栄光も、もろもろの契約《けいやく》も、律法《りっぽう》を授けられることも、礼拝《れいはい》も、数々の約束も彼らのもの、また父祖たちも彼らのものであり、肉によればキリストもまた彼らから出られたのである。万物《ばんぶつ》の上にいます神は、永遠にほむべきかな、アァメン。
（九章四、五節）

「彼らは」というのは、肉による同族、すなわちユダヤ人のことですが、ここでパウロは、わざと「イスラエル人」であると書いています。「イスラエル」という語は、「神によって勝利する」という意味です。そういう尊《とうと》い民族であり、しかも「（神の）子たる身分を授けられている」民《たみ》だと言っている。

これはどういうことかというと、神がモーセに言われた次のような言葉が聖書にあります。

あなたはパロ（エジプトの王）に言いなさい、「主はこう仰《おお》せられる。イスラエルはわたしの子、わたしの長子である。わたしはあなたに言う。わたしの子を去らせて、わたしに仕えさせなさい」と。
（出エジプト記四章二二、二三節）

ここにあるように、神様は、「イスラエルはわが子である、わが長子である」と言われる。

イスラエルは、子たる身分を授《さず》けられた民族であり、すでにモーセによって神の子であるという自覚がユダヤ人にはあるはずなんです。栄光も、もろもろの契約《けいやく》も、律法《りっぽう》を授けられることも、礼拝《れいはい》も、数々の約束も、彼らのものである。しかるに彼らは、自分にある尊《とうと》いものを捨《す》ててしまっている。

会見の幕屋（復元模型）

栄光が満つる会見の幕屋

ここでパウロが述べているいくつかの概念《がいねん》は、旧約聖書を読んでみると、よくわかります。

まず「栄光」ということについては、出エジプト記四〇章三四、三五節に次のように書いてあります。

「そのとき、雲は会見の天幕をおおい、主の栄光が幕屋に満ちた。モーセは会見の幕屋に、はいることができなかった。雲がその上にとどまり、主の栄光が幕屋に満ちていたからである」と。

すなわち、栄光というのは神が輝《かがや》かしく現れること、見えない神様がありありと臨在《りんざい》するシェキナー状態を「栄光」と言うんです。「会見の幕屋」と訳《やく》してありますが、これは神と会見するという意味です。神様が会見してくださるところの幕屋、至《し》聖所《せいじょ》、そこは栄光が満ちる場であった。イスラエル民族は、この栄光に与《あずか》るべくもない者なのに、与ることができた。

この会見の幕屋の奥《おく》に、贖罪所《しょくざいしょ》がありました。そこに置かれた契約《けいやく》の箱の上に犠牲《ぎせい》の血を注ぐと、罪が贖《あがな》われる。イスラエルの民《たみ》は罪を犯《おか》して、とても神に出会うことができないが、ここで贖罪の業《わざ》が行なわれた。こうして神様は、神と人とが出会う場所を作られた。

これは十字架の予表であります。やがて、エルサレムのゴルゴタの丘《おか》において、キリストはご自分で血を流して贖罪となりたもうた、というのがこの意味です。「栄光を授《さず》けられる」とは、このことをいいます。すなわち、十字架の血が流されることがなければ栄光もありません。

比較を絶する霊的人物の群れ

「もろもろの契約」というのは、神様がイスラエル民族の父祖であるアブラハム、イサク、ヤコブと契約を結ばれたことを指します。これは、「神様が必ず祝福する」という一方的な契約ですが、それに対しては必要な条件がありました。それが「律法《りっぽう》」です。

さらに「礼拝《れいはい》」。どうやって礼拝すべきか、といったようなことがレビ記に詳《くわ》しく書いてあります。また「数々の約束」というのは、その後イスラエルの歴史において預言者が次々と現れて、神の約束を伝えました。彼らは、旧約時代に新約的な預言をした。それを言うんです。

そのように優《すぐ》れた預言をすることができた先人たちも、皆、イスラエル民族から出た。聖書を読んだら、こんなに素晴《すば》らしい霊的人物が続出している民族はない、とつくづく思います。

そういった先祖たちは、皆、彼らのものです。そして、イスラエル人が最高に誇《ほこ》ってよいものは何かといえば、油注がれた者、メシアです。そのメシアも、肉によれば、彼らから出られたのである。これ、イエス・キリストです。ユダヤ人がどんなに否定《ひてい》しても、イエス・キリストほど偉大《いだい》な感化力を全世界に示した者はありません。

「万物《ばんぶつ》の上にいます神は、永遠にほむべきかな」

このような素晴らしい民族だのに、そのユダヤ人がキリストを信じない。福音を信じないというのは、一体どういうことか。

神の約束を嗣《つ》ぐ者

しかし、神の言《ことば》が無効になったというわけではない。なぜなら、イスラエルから出た者が全部イスラエルなのではなく、また、アブラハムの子孫だからといって、その全部が子であるのではないからである。かえって「イサクから出る者が、あなたの子孫と呼《よ》ばれるであろう」。すなわち、肉の子がそのまま神の子なのではなく、むしろ約束の子が子孫として認《みと》められるのである。
（九章六～八節）

「しかし、神の言《ことば》が無効になったというわけではない」。昔の文語訳《やく》では、「それ神の言は廃《すた》りたるに非《あら》ず」と、もっと名訳をつけていました。「εκπιπτω《エクピプトー》　無効になる」という語は、「～から落ちる、頽落《たいらく》する、脱落《だつらく》する、失墜《しっつい》する」などと訳すべきです。「神の言葉はすっかり落ちてしまったのか、そうではない」ということですね。

神様は、ユダヤ民族の父祖であるアブラハムと約束をしました。この祝福の約束がアブラハムの子孫に及《およ》ぶというが、全部に及ぶわけではないということは、聖書を読んだらわかるではないか。すなわち、アブラハムには妾腹《しょうふく》のイシマエルという子がおりましたが、そのイシマエルは母ハガルと共に追放の憂《う》き目《め》に遭《あ》った。正妻のサラに子ができたから、サラが嫌《きら》って追い出したんです。神様は、ハガルとイシマエルをお捨《す》てにはなりませんでしたけれども、とにかく、正統の子ではなくなった。そして、イサクがアブラハムの子孫と呼ばれている。

そうすると、アブラハムには子供《こども》が二人以上おりましたけれども、全部が全部、神の約束を嗣《つ》いだわけではないということです。肉の子が、そのまま神の子なのではない。アブラハムの子の中でも、神の約束によって生まれた子に祝福が嗣がれるのである。

約束の言葉はこうである。「来年の今ごろ、わたしはまた来る。そして、サラに男子が与《あた》えられるであろう」。そればかりではなく、ひとりの人、すなわち、わたしたちの父祖イサクによって受胎《じゅたい》したリベカの場合も、また同様である。（九章九、一〇節）

神様が約束をなさるということは、人間側の条件とあまり関係がない。神は全能なのですから、ご自分がしたいことをなさる。サラは老年で子供は生まれないはずなのに、神の使いが現れて、「来年の今ごろ、男の子が生まれるであろう」と言ったら、生まれたではないか。それが約束の子、イサクです。こうして、まだイサクが生まれていない先から、神様はご自分の方針《ほうしん》に向かって、打つべき手を着々と打っておられた。

まだ子供らが生まれもせず、善《ぜん》も悪もしない先に、神の選びの計画が、わざによらず、召《め》したかたによって行われるために、「兄は弟に仕えるであろう」と、彼女に仰《おお》せられたのである。

「わたしはヤコブを愛しエサウを憎《にく》んだ」と書いてあるとおりである。（九章一一～一三節）

さらに、イサクとその妻リベカの間に、二人の子供《こども》が生まれた。それが、エサウとヤコブという双子《ふたご》の男の子でした。二人は、同じような条件で母の胎内《たいない》におって、同じように生まれたんですから優劣《ゆうれつ》はないわけです。だが神様は、それに甲乙《こうおつ》つけてしまわれるんですね。まだエサウとヤコブが生まれもせず、善《ぜん》も悪もしない先から、神の選びの計画があった。それは、わざによらず、召《め》したかたによって行なわれるために、

「兄は弟に仕えるであろう」と母リベカに仰せになった、とあります。

「わたしはヤコブを愛しエサウを憎んだ」と書いてあるとおりである。まあ、憎むという言葉が悪いですが、どっちを選ぶかといったら、兄のエサウでなくて、ヤコブのほうを取ると、神様は言われる。

神の一方的な選び

ここに問題があります。今のキリスト教会では、「われは天の主なる神を信ず」といったよう

な信仰告白によって救われると思っております。しかしながら、聖書はそうではないんです。

救われるのは、神様の一方的な選びに基《もと》づくんです。

よく考えてみると、ああ神様は自分の生まれぬ先から、すでに着々と、何かをなそうとしておられたということに気がつきます。まだ子供《こども》らが生まれもせず、善《ぜん》も悪もない先にです。

「神の選びの計画は、わざによらずに行われる」とあるとおりです。

仏教的な環境《かんきょう》に育った私たちは、とかく「ああ、私がこんな悪いことをしたから、こんな悪い運命が来た」というように考えやすい。それで、自責の念にかられる。それは悪いことではありませんけれども、しかし、神様のなさり方は、その者が悪かろうが良かろうが、そういった人間的な考えによるものではないんです。何か神の一方的な選びがあるんです。神の水準というか、標準があるんです。

人間の選び方は、生まれた子を見て、「この子は良い子だ、この子は悪い子だ」と言って、良い子を選ぶということでしょう。しかし神様は、それ以前からすでに、この時代に誰《だれ》を召《め》し、誰を呼《よ》び、誰を集めて幕屋を構成しようというようなことを着々と考えておられたのである。これは、神様のご計画なのであって、私たちの思いだけで幕屋は成立していないということをしみじみ感じます。

人間的に見ると、「ああ、あの人は立派《りっぱ》な人だった」と、私は惜《お》しくてたまらんような兄弟姉妹たちがおります。しかし、幕屋から去ってゆかれた。昔の写真でも見ると、「ああ……」といって私は一人泣きます。あの人が心を変えて立ち帰ってきてくれたらなあ、と思ったりする場合があります。

しかし、「善《ぜん》にもよらず、悪にもよらず、神の一方的な定めによる」ということになると、これは人間的な分別といったようなことでは決まらない。立派な人ではなく、なんで私が救われたのだろうかと思って不可解になることがある。

ここでパウロは、宗教的に言うならば、ユダヤ人は立派なんだということを言いたいんです。しかし、その立派なユダヤ人がなぜ救われないかという場合に、なぜ、じゃない。二人の子供《こども》がおってもエサウは捨《す》てられて、ヤコブは選ばれる。しかもヤコブは悪い性質をもっているけれども、その悪い性質をもったヤコブを神様は懇《ねんご》ろに導きなさるんです。神様の選びというものは、ちょっとひどいなと思うけれど、何か神様にはご計画があるんです。

ただ神の憐《あわ》れみによる

このことは、ある人にとっては嫌《いや》なことです。おれが当然選ばれるべきだのに、あんな奴《やつ》が選ばれる。あんなロクでもない屑《くず》みたいな者が、救われて喜んでいる。ちょっと理解困難《こんなん》だ。人間として、自分のほうがどんなに人格的に立派《りっぱ》だろう。教養もある、身分もいい、なんて思うけれども、そこがどうにもならない問題があります。

「わざによらず、召《め》したかたによって行われる」。これは、私のような者には非常に有《あ》り難《がた》い言葉です。全くそうだったなと思う。しかし人間的に考える人には、こういう論理《ろんり》は成り立たないかもしれません。

では、わたしたちはなんと言おうか。神の側に不正（不義）があるのか。断じてそうではない。神はモーセに言われた、「わたしは自分のあわれもうとする者をあわれみ、いつくしもうとする者を、いつくしむ」。ゆえに、それは人間の意志や努力によるのではなく、ただ神のあわれみによるのである。

（九章一四〜一六節）

それでは、「神の側に不正があるのか」。原文は、「不正がないのか」です。「ないのか、断じてない」といって、「ない」が二度重なっています。神の側に不正というか、不義があるんじゃないか。ある者が救われて、ある者が救われないなどというようなことが、現実に同じ条件下において行なわれるならば、神様は依怙《えこ》贔屓《ひいき》というか、何か間違《まちが》いがありやしないか。いや、断じてない！

出エジプト記三三章一九節に、

「主は言われた、『わたしは恵もうとする者を恵み、あわれもうとする者をあわれむ』」と書いてあります。そこからパウロは、

「ゆえに、それは人間の意志や努力によるのではなく、ただ神のあわれみによるのである」と言います。

ここで、「人間の意志や努力によるのではなく」とある箇所《かしょ》の原文は、「それは欲《ほっ》する者によらず、走る者によらず」です。「努力」ではなくて、「τρεχων《トレコーン》 走る者」という語です。「歩く」というのは「生活する」という意味ですが、それよりもっと一生懸命《いっしょうけんめい》に生活するのは「走る」ということですね。昔の文語訳《やく》聖書は、「走る者」と直訳しておりました。

すなわち、人間の欲するところによらず、また一生懸命努力してというか、走り回るように生きたからといって、天国に入るわけではない。ただ神の憐《あわ》れみによって選ばれ、救われる。

神の愛だけが、私たちの救いの基礎《きそ》だということです。

（一九六八年十月二日 ①）

〔第二二講　ロマ書九章一七～二三節〕

17聖書はパロにこう言っている、「わたしがあなたを立てたのは、この事のためであ
る。すなわち、あなたによってわたしの力をあらわし、また、わたしの名が全世界に言
いひろめられるためである」。18だから、神はそのあわれもうと思う者をあわれみ、か
たくなにしようと思う者を、かたくなになさるのである。
19そこで、あなたは言うであろう、「なぜ神は、なおも人を責められるのか。だれが、
神の意図に逆らい得ようか」。20ああ人よ。あなたは、神に言い逆らうとは、いったい、
何者なのか。造られたものが造った者に向かって、「なぜ、わたしをこのように造った
のか」と言うことがあろうか。21陶器《とうき》を造る者は、同じ土くれから、一つを尊《たっと》い器《うつわ》に、
他を卑《いや》しい器に造りあげる権能《けんのう》がないのであろうか。
22もし、神が怒《いか》りをあらわし、かつ、ご自身の力を知らせようと思われつつも、滅《ほろ》び
ることになっている怒りの器を、大いなる寛容《かんよう》をもって忍《しの》ばれたとすれば、23かつ、栄
光にあずからせるために、あらかじめ用意されたあわれみの器にご自身の栄光の富を知
らせようとされたとすれば、どうであろうか。

24神は、このあわれみの器《うつわ》として、またわたしたちをも、ユダヤ人の中からだけでは
なく、異邦人《いほうじん》の中からも召《め》されたのである。25それは、ホセアの書でも言われていると
おりである、
「わたしは、わたしの民《たみ》でない者を、
わたしの民と呼《よ》び、
愛されなかった者を、愛される者と呼ぶであろう。
26あなたがたはわたしの民ではないと、
彼らに言ったその場所で、
彼らは生ける神の子らであると、
呼ばれるであろう」
27また、イザヤはイスラエルについて叫《さけ》んでいる、
「たとい、イスラエルの子らの数は、
浜《はま》の砂《すな》のようであっても、
救われるのは、残された者だけであろう。
28主は、御言《みことば》をきびしくまたすみやかに、

地上になしとげられるであろう」
29さらに、イザヤは預言した、
「もし、万軍《ばんぐん》の主がわたしたちに
子孫を残されなかったなら、
わたしたちはソドムのようになり、
ゴモラと同じようになったであろう」
30では、わたしたちはなんと言おうか。義を追い求めなかった異邦人《いほうじん》は、義、すなわ
ち、信仰による義を得た。31しかし、義の律法《りっぽう》を追い求めていたイスラエルは、その律
法に達しなかった。32なぜであるか。信仰によらないで、行いによって得られるかのよ
うに、追い求めたからである。彼らは、つまずきの石につまずいたのである。
33「見よ、わたしはシオンに、
つまずきの石、さまたげの岩を置く。
それにより頼《たの》む者は、失望に終ることがない」
と書いてあるとおりである。

第二二講

残れる民《たみ》の秋《とき》近し

ロマ書九章一七〜二九節

ここまで、神の選びの計画ということを学びました。神様は、人間が良いとか悪いとかと関係なく、一方的に人を憐《あわ》れみ、救いたいと思う者を救いたもう、と。

パウロは、そのことをさらに、出エジプト時代（紀元前十三世紀）のエジプト王パロを例に引きつつ、論《ろん》じてゆきます。

妨害《ぼうがい》によって広がる御名《みな》

聖書はパロにこう言っている、「わたしがあなたを立てたのは、この事のためである。すなわち、あなたによってわたしの力をあらわし、また、わたしの名が全世界に言いひろめられるためである」（九章一七節）

ここで、「わたしがあなたを立てたのは」とありますが、原文は、「ἐξεγείρω《エクセゲイロー》　起こす、起こして立てる」という語です。神様がエジプトの王パロを起こしたのは、このことのためである。すなわち、「おまえによって、神の力をあらわすためである」。「あらわす」というのは、「ἐνδείκνυμι《エンデイクニュミ》　示す」です。「言いひろめられる」は、「διαγγέλλω《ディアンゲロー》　広く伝える」の受身形ですね。

ですから原文を直訳《ちょくやく》すれば、

「この事のために、わたしはおまえ（パロ）を起こした。すなわち、おまえによってわたしの力を示すためである。かくして、わたしの名が全地に広く伝えられるためである」となります。

どういうことかといいますと、神に遣《つか》わされたモーセは、奴隷《どれい》となっていたイスラエルの民《たみ》をエジプトから出てゆかせるように、パロに何度も訴《うった》えました。しかし、パロは聴《き》き入《い》れません。彼は、モーセを通して現れる奇跡《きせき》を見ても、モーセの言葉を聞いても、頑固《がんこ》に従《したが》いませんでした。そして、従わねば従わぬほど、神様からひどい災難《さいなん》に遭《あ》わせられます。

すなわち、神の力が頑固なパロに対して示される。示されたことによって、どうなったかというと、神の御名《みな》はいよいよ上がりました。

それで、私たちは考える必要があります。おとなしいことをやっておっても伝道にならんということです。いろいろ反対や抵抗《ていこう》、妨害《ぼうがい》があれば、それに対して、「神様、あなたの力を現してください」と祈る。そうして神の力が現されることによって、神の名が上がる。

抵抗のないところには戦いもなく、戦いのないところには力の現れようもない。力が現れなければ、神の実在、御名《みな》が広がるということはない、ということです。

愛には「なぜ(Why《ホワイ》)」がない

だから、神はそのあわれもうと思う者をあわれみ、かたくなにしようと思う者を、かたくなになさるのである。

(九章一八節)

パウロが言おうとするのは、神は憐《あわ》れもうとする者を憐れみ、慈《いつく》しもうとする者を慈しむ、とあるとおり、愛には「なぜ(Why《ホワイ》)」がないということです。

私は愛するから愛する。好きだから好く。それに理由をつけたらおかしいです。あの人を愛しておくと、自分に程良《ほどよ》くしてもらえるというならば、それは本当の愛ではない。利害によって動かされる打算的な愛です。

本当の愛は、愛したいから愛しているだけです。それ以外のことを考えない。

愛には理由がない。神様がある人を愛して、どうして悪いか。

それでは救われないパロはかわいそうじゃないですか、と言うかもしれない。そうかもしれないけれど、頑迷《がんめい》なパロを許しておくということは、神様にとって大きな忍耐《にんたい》です。パロを潰《つぶ》さないだけでもいいいです。

しかし、パロの頑迷さを利用して、なお神様はご自分の戦いを進め、ご自分の力を現そうとされる。「かわいそう」と言っても、救われようと欲《ほっ》してないんだから、しょうがないじゃないか、というのがパウロの論理《ろんり》ですね。

それで、頑《かたく》な心というものを神様がほっとかれても、これはしかたがない。神様は強制なさらない。神様は、エサウもヤコブも両方救えばいいのにと思うけれども、なおエサウやパロが救いから取り残されるゆえんがあるわけです。


そこで、あなたは言うであろう、「なぜ神は、なおも人を責められるのか。だれが、神の意図(決意、計画)に逆らい得ようか」　(九章一九節)

「神の意図に逆らい得ようか」とありますが、それは反抗《はんこう》しえない。神様がしたいと思えば、何でもできるんですから。

そうすると、神様がある者を救おうと思われたら、救ってしまわれる。しかし、ある者は救わないということならば、人間が反抗《はんこう》したくてもできない。何も人間ばかりが悪いわけじゃないということになってくる。

ああ人よ。あなたは、神に言い逆らうとは、いったい、何者なのか。造られたものが造った者に向かって、「なぜ、わたしをこのように造ったのか」と言うことがあろうか。

（九章二〇節）

しかし、人間はそのようなことを神様に言えるか。神様に言い逆らうとは、いったい何者なのか。こう言って、パウロ一流の論《ろん》を進めてゆきます。

神の忍耐《にんたい》と寛容《かんよう》

陶器《とうき》を造る者は、同じ土くれから、一つを尊《たっと》い器《うつわ》に、他を卑《いや》しい器に造りあげる権能《けんのう》がないのであろうか。もし、神が怒《いか》りをあらわし、かつ、ご自身の力を知らせようと思われつつ

も、滅《ほろ》びることになっている怒《いか》りの器《うつわ》を、大いなる寛容《かんよう》をもって忍《しの》ばれたとすれば、

（九章二一、二二節）

自分を見れば、滅びの器、怒りの器でしかない。神様からお叱《しか》りを受けて、もう消えてもしかたがないような者が、こうやって生かされているということは、なんと大きい忍耐《にんたい》、寛容だろうかといって、神様をほめ賛《たた》えるべきではないか。これがパウロの主張です。

パウロはここで、神を弁護しようとしているわけではありません。人間は神の前に、何かを言えるようなものではない。それを教えるために言っておるんです。

ある者を救い、ある者を救わないとすれば、何も人間が悪いわけじゃない、神が悪いんじゃないか、というのは人間の議論《ぎろん》でしょう。しかし、わがままで傲慢《ごうまん》な人間、神を無視《むし》して生きている者たちを、なお黙《だま》って忍んでいる神様を賛えないとは、どういうことか。ここは、信仰者と信仰のない者との違《ちが》いです。

かつ、栄光にあずからせるために、あらかじめ用意されたあわれみの器にご自身の栄光の富を知らせようとされたとすれば、どうであろうか。

（九章二三節）

「どうであろうか」という語は原文にありません。ここは訳《やく》がいろいろ分かれるところです。「あらかじめ用意されたあわれみの器《うつわ》にご自身の栄光の富を知らせようとされた」という言葉がありますが、原文には何か動詞《どうし》が抜《ぬ》けているんです。それで、二二節に「大いなる寛容《かんよう》をもって忍《しの》ばれたとすれば」と、「忍ぶ」という動詞があるので、この語を入れて、「栄光の富を知らせようと、忍耐《にんたい》された」とするほうがいいでしょう。

神様は、ご自分の栄光の富を知らせるために、悪《あ》しき者をも忍耐された。皆を一網打尽《いちもうだじん》に潰《つぶ》してしまったら、すべてが滅《ほろ》んでしまいますから、一人の義人のために、一人の救われる者のために、黙《だま》って他を忍んで忍耐しておってくださる。

憐《あわ》れみをもって恵みたもう神

私はよく他のキリスト教の批判《ひはん》をします。しかし、こういうことを考えると、あんまり言えないですね。キリスト教の中で養われて、ついにこうやって原始福音を叫《さけ》ぶようになった。聖書そのままの福音に立ち帰ろうとするような動機というか、志を私たちが抱《いだ》いたというのには、神様の大きい忍耐があります。またそういう中から、私たちを選び出してくださるというところに大きい忍耐があります。

神は、このあわれみの器《うつわ》として、またわたしたちをも、ユダヤ人の中からだけではなく、異邦人《いほうじん》の中からも召《め》されたのである。

（九章二四節）

神様はずいぶん長い間、忍耐《にんたい》しておられる。そのことを見ないと、「救われるのは神の予定で、神が一切《いっさい》を決めてしまっているなら、人間は努力して信仰する必要はない。何もとがめられないじゃないか」というような、人間の立場からだけの議論《ぎろん》が出てきます。

そうではないんです。神様はほんとうに恵むに値《あたい》しない者まで恵もうとなさる。それは、予定の選びという以外に考えようがない、ということを言うんです。

人間は、神の証《あか》しを見ながら、信ずる自由をもっている。また、信じない自由ももっている。頑《かたく》なな者は救われないというならば、頑なな在り方をやめようと思えばよい。

しかし、人間はその頑なな心を捨《す》てないじゃないか。そのような、頑なな心の者をそのまま残しておくということは、神様の側は忍耐です。それは、人間の側の自由意志というものを尊重《そんちょう》し、人格というものを神がなお認《みと》めているからです。潰《つぶ》してもいいはずだのに、潰さずにとっておかれるということはですね。

「わが民《たみ》よ」と呼《よ》びたもう者

ユダヤ人の中からも、少数の者がクリスチャンになりました。そのことを通して、異邦人《いほうじん》たちからもたくさんのクリスチャンが出てきました。

それは、ホセアの書でも言われているとおりである、
「わたしは、わたしの民でない者を、
わたしの民と呼び、
愛されなかった者を、愛される者と呼ぶであろう。
あなたがたはわたしの民ではないと、
彼らに言ったその場所で、
彼らは生ける神の子らであると、
呼ばれるであろう」
（九章二五、二六節）

パウロはここで、旧約聖書のホセア書二章二三節を引用しています。

すなわち、神様はご自分の民《たみ》でない者を「わたしの民」と呼《よ》び、愛されなかった者を「愛される者」と呼ぶであろう、と。「わたしの民でない」というのは、神の民と言いながら異《あだ》し神《がみ》に走り、姦淫《かんいん》の心をもったような者たちは嫌《きら》いだということです。

しかしながら、そんな者をわが民と呼び、愛されなかった者を愛される者と呼ばれる。あなたがたは、わたしの民でないと彼らに言ったその場所で、神の子らと呼ばれる。

やっぱり親が叱《しか》る時は、そんなですね。「もうあんたはうちの子じゃない、出てゆきなさい」と言うけれども、それは愛をもってやっぱり生ける神の子にしようとするから叱るんです。

残される者は少数である

また、イザヤはイスラエルについて叫《さけ》んでいる、

「たとい、イスラエルの子らの数は、
浜《はま》の砂《すな》のようであっても、
救われるのは、残された者だけであろう。
主は、御言《みことば》をきびしくまたすみやかに、
地上になしとげられるであろう」

（九章二七、二八節）

預言者イザヤが預言をしておる、「救われるのは、残された者だけであろう」と。

「το υπολειμμα《トヒュポレインマ》　残された者」というのは、英語ではRemnant《レムナント》(残れる民《たみ》)です。救われるのは、多くの中から残された者だけである。たくさんユダヤ人がおるけれども、霊のユダヤ人は少数である。

私が作詞《さくし》した賛美歌に次のようなものがあります。

三次《みたび》の大戦《いくさ》　原爆《げんばく》に
全地球《ぜんち》は化しぬ　火だるまと
廃墟《はいきょ》の中に　決起する
残れる民の　秋《とき》近し
胸《むね》にぞ秘《ひ》めん　主の黙示《みつげ》　(幕屋聖歌一五九番)

ここに「残れる民の秋近し」とあるのは、この聖書の言葉から来た思想です。

クリスチャンだから全部が救われるわけではない。幕屋の民だからといって、全部がそうではない。真に聖霊の恵みを受けた者だけが救われる。だから、ユダヤ人全部がキリストを信じるわけではない。しかし、パウロでもヤコブでもペテロでも、皆ユダヤ人ですから、自分たち少数の者が信じているからいいではないか、と言うわけです。

今のキリスト教はほとんど腐敗《ふはい》しています。しかし、やっぱり少数の光っているクリスチャンはいます。そのことのゆえにキリスト教というものは値打《ねう》ちがあるんです。

パウロの預言、私の祈り

さらに、イザヤは預言した、
「もし、万軍《ばんぐん》の主がわたしたちに
子孫を残されなかったなら、
わたしたちはソドムのようになり、
ゴモラと同じようになったであろう」
（九章二九節）

子孫というのは残された者のことです。ソドム、ゴモラのように全部が滅《ほろ》びずに、少数だけが救われる。神の国というのは、いつも少数者によって担《にな》われているということです。

神の歴史というものも、大多数のクリスチャンによっては担われておりません。少数の残れる民《たみ》によって担《にな》われているんです。ですから、私たちは少数者であることを決して気にする必要はありません。少数者であることを誇《ほこ》るべきである。

これがパウロの論理《ろんり》です。残れる者は少ない。

ユダヤ人は頑固《がんこ》で、今でも福音を受け入れようとはしません。しかしパウロは、時が来たら、必ずユダヤ人がキリストを仰《あお》ぐ日が来ると言う。これは次の章で論《ろん》ずることです。

私たちは西洋人と違《ちが》って、ユダヤ人に手を差《さ》し伸《の》べやすい立場であるし、何も違和感《いわかん》をもっていません。西洋のキリスト教を見ると嫌《いや》な気がしますが、ユダヤ人に対してはそんな気持ちをもたない。何か魂の底で相通《あいつう》ずるものがあるからだと思うんです。

どうか神様、パウロが果たそうとして果たしえず、預言したところのことを、私たちを通して成《な》し遂《と》げてください！　これは私の祈りです。

原始福音運動の宗教史的な意味

世界的な聖書学者であるオットー・ピーパー博士が、

「同じ聖書から現れたのがユダヤ教であり、キリスト教であるが、原始福音の人たちは、このユダヤ教と手を握《にぎ》って生きている。これは実に世界に例のないことだ」と言って驚《おどろ》いています。

オットー・ピーパー博士

ここに、私たちのもっている宗教史的な意味があると思うんです。私たちのグループは小さいです。しかし、やがてこれが大きくなっていったら、神様が私たちを選んで、何をこの二十世紀に成したもうたかということが、後世まで残ると思うんです。

もちろん、何も残らんでもいいですよ。ただ私たちは選びの器《うつわ》になったということが、有《あ》り難《がた》いことです。憐《あわ》れまれるに足らぬ者ですけれども、それが憐れまれる者になって、こうやって西洋のキリスト教会ができなかったことをさせられている。誰《だれ》からも私たちは頼《たの》まれたわけでないです。しかも、ユダヤ人を感化してやるんだというような、ミッション（布教、伝道）の意識は毛頭ありません。そういうおごった気持ちは何もない。ただお互《たが》い、好きだから好いているだけです。こうやって、聖書がどうか成就《じょうじゅ》するように、と思うわけです。

このことについて、次の章を読みますと、パウロは「ああ、神の知恵《ちえ》は深いかな」というように論旨《ろんし》が発展《はってん》してゆきます。

ただ神のご計画が進めば

原始福音のグループはユダヤ人に非常に接近しています。ですから私たちにとっては、九章、一〇章、一一章を読むことに重要な意味があります。他の教会では何もユダヤ人と関係がないから、読んだって無意味でしょう。しかし、我々はこれを読むことを通して大きな意味を見出《みいだ》し、そして、神様が私たちを通して何かを意図しておられるということを感じます。

しかも、それは私たちが、特に私については、立派《りっぱ》だからではないです。

その昔、神様は、てこずらせるようなヤコブを生まれる先から選びたもうたように、つまらぬ私を選びたもうた。その神の選びということがもったいないです。

あるかたが、「今は手島先生が生きているから、幕屋グループは一致《いっち》しているけれども、先生が死んだら争いになってしまう」といって、丁寧《ていねい》な手紙をくれました。そのかたは本気になって心配しているらしいです。

しかし、私はそういうことを考えません。モーセは死んでもヨシュアが現れたように、神様ご自身が滅《ほろ》びなかったら、手島なんか滅んだっていいじゃないか。人間だから死ぬものです。先々のことを考えると、どうなるかなあというように、伝道者の中でも考える人がおる。それは、この世の勢力を作ろうと思うからです。神様だけを見上げておったら、そんなことを考えない。私自身が、そんなバカなことを考えないんだもの。

手島の教派《きょうは》を残そうと思ったら、それは考えるかもしれません。しかし、私は教派なんかを残そうと思わない。ただ皆が神様だけを見上げてもらえれば、それでよいです。それでは物足らないという人は、伝道者であってもまだ信仰がわかっていないと思う。だから、理屈《りくつ》によって集まろうとしたがるんです。

神様の選び、神様の召《め》し、神様の計画が進んでゆけば、それでいいじゃないか。信仰はただ神にだけ頼《たよ》って生きることです。そして確実です。

幕屋聖歌一八五番（愛弟子《まなでし》・那須純哉《なすじゅんや》に捧《ささ》げる）を歌います。

くれないの血　幕屋を染《そ》め
誓《ちかい》はゆるがず　聖史《れきし》に映《は》えて
輝《かがや》く面影《おもかげ》　躍《おど》る朝日に
微笑《ほほえ》むは　友よ　シェキナーの雲

一年前、この十月、那須純哉君は死にました。今度、私は神戸に行って追悼会《ついとうかい》をしますが、彼を思うとほんとうに悲しい気がします。しかし、人間は次々死んでゆきます。また私も後を追うだけのことです。そこに、私には迷いはありません。しかし、多くの人の血をもって築いたものは、必ず神様が尊《とうと》んで残してくださると思います。

祈ります。

那須君、あなたが死んでから一年になります。悪魔《あくま》は、いろいろ私に良いことを言って誘惑《ゆうわく》します。しかし、何も求めずに死んでいった君、私も地上に何かを残そうなんて思いもしない。何も残らずに、足跡《あしあと》も残らずに、死んでいったらいいんです。

神様、あなたは、私のような憐《あわ》れまれるに足らぬ者を憐れんでくださり、あなたの民《たみ》でなかった者を、あなたの民にしてくださいました。あなたの民である兄弟たちが、あなたの御証《みあか》しのために命を賭《と》して、次々とあなたの御国《みくに》に帰りつつあります。どうか神様、あなたの御前に捧《ささ》げられるところの霊魂を嘉《よみ》し、あなたの御国が成りますために、どうぞ御業《みわざ》を進めてくださるようお願いいたします。

愛する兄弟が亡《な》くなりました。戦いの秋となるにつれて、惜《お》しくてたまりません。

しかし、神様、すべてはあなたのご計画が進んでゆくことを思います。私心を皆が捨《す》てて、どうぞ聖名《みな》が全地に広まることを、崇《あが》め奉《たてまつ》ってゆくことをならしめてください。いろいろ試練の中にある兄弟たち、姉妹たちがあります。どうか神様、一切《いっさい》のことが祝福に変わってゆくようにならしめてください。多くの者が自分のことを求め、自分の立場だけしか考えませんときに、私たちは、主よ、あなたを見上げて黙《だま》って死んでゆきとうございます。どうぞ、御名《みな》のために散りゆく友らを、一人ひとり数えてやってください。言《い》い尽《つ》くしがたい願い、尊《とうと》き御名により祈り奉ります。アーメン。

（一九六八年十月二日　②）

＊オットー・ピーパー…一八九一～一九八二年。ドイツに生まれる。世界的な神学者。ヒットラーの中に悪魔《あくま》の力を見て抵抗《ていこう》し、戦ったために、祖国ドイツを追われる。後に、アメリカのプリンストン神学大学に招かれ、新約聖書学教授となる。一九六三年十一月、高野山《こうやさん》で開かれた幕屋の聖会に参会。

〔第二三講　ロマ書一一章一～二七節〕

1そこで、わたしは問う、「神はその民《たみ》を捨《す》てたのであろうか」。断じてそうではない。
わたしもイスラエル人であり、アブラハムの子孫、ベニヤミン族の者である。2神は、
あらかじめ知っておられたその民を、捨てることはされなかった。聖書がエリヤについ
てなんと言っているか、あなたがたは知らないのか。すなわち、彼はイスラエルを神に
訴《うった》えてこう言った。3「主よ、彼らはあなたの預言者たちを殺し、あなたの祭壇《さいだん》をこぼ
ち、そして、わたしひとりが取り残されたのに、彼らはわたしのいのちをも求めていま
す」。4しかし、彼に対する御告《みつ》げはなんであったか、「バアルにひざをかがめなかった
七千人を、わたしのために残しておいた」。5それと同じように、今の時にも、恵みの
選びによって残された者がいる。6しかし、恵みによるのであれば、もはや行いによる
のではない。そうでないと、恵みはもはや恵みでなくなるからである。7では、どうな
るのか。イスラエルはその追い求めているものを得ないで、ただ選ばれた者が、それを
得た。そして、他の者たちはかたくなになった。
8「神は、彼らに鈍《にぶ》い心と、

見えない目と、聞えない耳とを与《あた》えて、
きょう、この日に及《およ》んでいる」
と書いてあるとおりである。9ダビデもまた言っている、
「彼らの食卓《しょくたく》は、彼らのわなとなれ、網《あみ》となれ、
つまずきとなれ、報復となれ。
10彼らの目は、くらんで見えなくなれ、
彼らの背《せ》は、いつまでも曲っておれ」
11そこで、わたしは問う、「彼らがつまずいたのは、倒《たお》れるためであったのか」。断じ
てそうではない。かえって、彼らの罪過によって、救いが異邦人《いほうじん》に及び、それによって
イスラエルを奮起《ふんき》させるためである。12しかし、もし、彼らの罪過が世の富となり、彼
らの失敗が異邦人の富となったとすれば、まして彼らが全部救われたなら、どんなにか
すばらしいことであろう。
13そこでわたしは、あなたがた異邦人に言う。わたし自身は異邦人の使徒なのである
から、わたしの務めを光栄とし、14どうにかしてわたしの骨肉《こつにく》を奮起させ、彼らの幾人《いくにん》
かを救おうと願っている。15もし彼らの捨《す》てられたことが世の和解となったとすれば、

彼らの受けいれられることは、死人の中から生き返ることではないか。16もし、麦粉の
初穂《はつほ》がきよければ、そのかたまりもきよい。もし根がきよければ、その枝もきよい。
17しかし、もしある枝が切り去られて、野生のオリブであるあなたがそれにつがれ、
オリブの根の豊かな養分にあずかっているとすれば、18あなたはその枝に対して誇《ほこ》って
はならない。たとえ誇るとしても、あなたが根をささえているのではなく、根があなた
をささえているのである。19すると、あなたは、「枝が切り去られたのは、わたしがつ
がれるためであった」と言うであろう。20まさに、そのとおりである。彼らは不信仰の
ゆえに切り去られ、あなたは信仰のゆえに立っているのである。高ぶった思いをいだか
ないで、むしろ恐《おそ》れなさい。21もし神が元木《もとき》の枝を惜《お》しまなかったとすれば、あなたを
惜しむようなことはないであろう。
22神の慈愛《じあい》と峻厳《しゅんげん》とを見よ。神の峻厳は倒《たお》れた者たちに向けられ、神の慈愛は、も
しあなたがその慈愛にとどまっているなら、あなたに向けられる。そうでないと、あな
たも切り取られるであろう。23しかし彼らも、不信仰を続けなければ、つがれるであろ
う。神には彼らを再びつぐ力がある。24なぜなら、もしあなたが自然のままの野生のオ
リブから切り取られ、自然の性質に反して良いオリブにつがれたとすれば、まして、こ

れら自然のままの良い枝は、もっとたやすく、元のオリブにつがれないであろうか。
25兄弟たちよ。あなたがたが知者だと自負することのないために、この奥義《おくぎ》を知らな
いでいてもらいたくない。一部のイスラエル人がかたくなになったのは、異邦人《いほうじん》が全部
救われるに至《いた》る時までのことであって、26こうして、イスラエル人は、すべて救われる
であろう。すなわち、次のように書いてある、
「救う者がシオンからきて、
ヤコブから不信心を追《お》い払《はら》うであろう。
27そして、これが、彼らの罪を除《のぞ》き去《さ》る時に、
彼らに対して立てるわたしの契約《けいやく》である」

第二三講　聖書の歴史観　ロマ書一一章一～二七節

イエス・キリストが出現したことに対して、多くのユダヤ人は非常に不敬虔《ふけいけん》でした。彼らは、イエス・キリストを十字架につけて殺してしまうような羽目に追《お》い込《こ》んでしまった。それればかりではありません。彼らはキリストを信ずる者たちを、迫害《はくがい》しました。こういうことはどうして起こるのだろう。キリストを通して真の信仰が起きたというのに、なぜ神の民《たみ》ともあろう者がこういうことをするのか。

それについてのパウロの弁明が続くのでありますが、今読んでみても、彼の言うとおりだと思います。

今日は、一一章の初めから読んでゆきます。

イスラエルは捨《す》てられたのか

そこで、わたしは問う、「神はその民《たみ》を捨てたのであろうか」。断じてそうではない。わたしもイスラエル人であり、アブラハムの子孫、ベニヤミン族の者である。　（一一章一節）

ユダヤ人は神の民であり、メシアの出現をずっと待っていたはずなのに、イエス・キリストを殺してしまった。このような不信仰な民を、神は捨ててしまわれたのであろうか。「捨てる」という語は、「απωθουμαι《アポースーマイ》　突《つ》き飛《と》ばす、拒《こば》む」といった意味です。

それに対してパウロは、「断じてそうではない」と言っています。捨てられたように見えるが、決して捨てられてはいない。自分もイスラエル人であり、アブラハムの子孫、ベニヤミン族の者である。ベニヤミンは族長ヤコブの十二人の息子《むすこ》の一人です。まさしくイスラエル十二支族の一つである、ベニヤミンの族《やから》であるという。

神は、あらかじめ知っておられたその民を、捨てることはされなかった。聖書がエリヤについてなんと言っているか、あなたがたは知らないのか。すなわち、彼はイスラエルを神に訴《うった》えてこう言った。「主よ、彼らはあなたの預言者たちを殺し、あなたの祭壇《さいだん》をこぼち、そして、わたしひとりが取り残されたのに、彼らはわたしのいのちをも求めています」

（一一章二、三節）

預言者エリヤが登場したのは、紀元前九世紀、アハブ王の時代です。アハブという王様は良かったんですけれど、政略結婚《けっこん》で外国からやって来たその妻イゼベルが異教《いきょう》の神バアルに熱心で、せっかくエリヤがイスラエルの神への信仰復興運動を起こしましたのに、ひどく迫害《はくがい》しました。イスラエルの人々も、それに追随《ついずい》して、主の預言者たちを殺し、主の祭壇をこぼちました。一人残されたエリヤは、圧迫《あっぱく》を逃《のが》れてシナイ砂漠《さばく》のホレブ山まで行き、神にイスラエルを訴えました。彼らは自分の命を求めており、もう風前の灯《ともしび》です、と。

歴史の立て直しをする少数者

しかし、彼に対する御告《みつ》げはなんであったか、「バアルにひざをかがめなかった七千人を、わたしのために残しておいた」。それと同じように、今の時にも、恵みの選びによって残された者がいる。しかし、恵みによるのであれば、もはや行いによるのではない。そうでない

と、恵みはもはや恵みでなくなるからである。（一一章四～六節）

エリヤの問いに対する神様の答えは、

「バアルにひざをかがめなかった七千人を、わたしのために残しておいた」というものでした。すなわち、仮に幾百万《いくひゃくまん》のイスラエル人が真《まこと》の神を信じなくてもよい。七千人おればよいのだ、というのです。神のために残されし七千人！　バアルという偶像《ぐうぞう》にひざを屈《かが》めない純《じゅん》信仰の者が七千人おったら、その者たちを通して、自分はいつでも歴史の立て直しをすることができる、と神様は言われる。

私は、今のキリスト教会はなぜこんなに不信仰なのだろうかと思うことがありますけれども、そんなことを言うべきではない。エリヤの時がそうだった。このパウロの時がそうだった。また今そうであっても、残された者は少数で結構なんです。

やがて神は、数を大きくしたもうでしょう。けれども大事なのは、バアルにひざを屈めぬ者七千人を、神様が残しておかれるということです。残されるというのは、捨《す》てられることの反対ですが、これは神の選びによる、ということを申しておる。

それと同じように、今の時代にも、恵みの選びによって残された者がいる。

大多数は捨《す》てられるかもしれないけれども、少数おったら十分である。霊のイスラエルは、いつも少数である。宗教は、見かけだけの信者の数ではない。少数の本当の信者がいるかどうかが問題です。

私たちのような者をとっておきにして、神はご自分の歴史に何か役立たせようとなさる。これは全く恵みの選びによって残されるんです。ですから、人間の行ないが良いからとか、人間が立派《りっぱ》であるといったようなことによるのではない。そうでないなら、恵みではありません。あれは値《ね》打ちがあるから残そう、というんだったら、一方的な恩寵《おんちょう》ではありません。

では、どうなるのか。イスラエルはその追い求めているものを得ないで、ただ選ばれた者が、それを得た。そして、他の者たちはかたくなになった。（一一章七節）

イスラエルはその追い求めている本当の救いを得ないで、選ばれた者だけがその救いを得た。私たちは「原始福音」と呼《よ》んで初代教会の信仰を求めているけれども、本当の福音が起こるときに、頑《かたくな》な人たちが次々できてくるんです。「まあ、あの人までが」と思うような人が、信仰から脱落《だつらく》してゆく。

しかし、そのことによって、私たちは信仰を確かめることができるんです。躓《つまず》く者がおらないならば、本当でないですよ。私たちの中から脱落《だつらく》したり、悪魔《あくま》にさらわれていったりする人がいるならば、大いに喜んでよいんです。神の恵みによって残されない限り、必ずそういうことになる。そして、ますます頑《かたくな》になって、もう理屈《りくつ》で説明してもだめです。

頑な霊と見えない目

「神は、彼らに鈍《にぶ》い心と、
見えない目と、聞えない耳とを与《あた》えて、
きょう、この日に及《およ》んでいる」
と書いてあるとおりである。ダビデもまた言っている、
「彼らの食卓《しょくたく》は、彼らのわなとなれ、網《あみ》となれ、
つまずきとなれ、報復となれ。
彼らの目は、くらんで見えなくなれ、
彼らの背《せ》は、いつまでも曲っておれ」
（一一章八～一〇節）

「鈍《にぶ》い心」と訳《やく》されていますが、ここは「πνευμα κατανυξεως《プニューマ カタニュクセオース》 頑《かたく》な霊、麻痺《まひ》した霊」です。「プニューマ」は「霊」という語で、「心」ではありません。頑な霊と見えない目ですね。彼らは、うまい物を食って惰眠《だみん》を貪《むさぼ》っておりますから、その食卓《しょくたく》は罠《わな》となれ、網《あみ》となれ、躓《つまず》きとなれ。見れども見えない目、聞こえない耳とを与《あた》えられている。この「ακουω《アクーオー》 聞く」というギリシア語は、ただ耳で聞くだけではない、聞いて行なうこと、聞いて従《したが》うことをいうんです。聞いても従わないなら、聞いていないのと同じです。彼らの目はくらんで見えなくなり、彼らの背《せ》はいつまでも曲がっておれと言って、神様が愛想《あいそ》つかされるように頑な状況《じょうきょう》。

イスラエルの歴史を調べてみると、ここに引用されているダビデの詩篇《しへん》六九篇に書いてあるように、全くどうにもならん。

イスラエルを妬《ねた》ましめる

そこで、わたしは問う、「彼らがつまずいたのは、倒《たお》れるためであったのか」。断じてそうではない。かえって、彼らの罪過によって、救いが異邦人《いほうじん》に及《およ》び、それによってイスラエルを奮起《ふんき》させるためである。

（一一章一一節）

しかし、イスラエルの民《たみ》が「つまずいたのは、倒《たお》れるためであったのか」。原文は、「彼らは倒れるために躓《つまず》いたのか」です。倒れたらもう立ち上がりません。立ち上がらなければ、滅《ほろ》んでしまう。では、滅びるために躓いたのか。断じてそうではない。

ここで「断じてそうではない」というのは、パウロの信仰によって言っておるんです。

それは、イスラエル人が滅びるためではなく、彼らの罪過によって、救いが異邦人《いほうじん》に及《およ》ぶためである。「罪過」というのは、「παραπτωμα《パラプトーマ》　踏《ふ》み外《はず》して落ちること、過失、失敗、錯誤《さくご》、背《はい》教《きょう》」といった意味です。

不信なイスラエル人たちは、キリスト・イエスを信じる者たちを非常に迫害《はくがい》しました。その迫害があまりにひどくて、エルサレムに住めなくなり、十二弟子《でし》を除《のぞ》いて皆、逃《に》げ出《だ》してゆきました。逃げることによってシリアのアンテオケに、ダマスコに、また小アジアのエペソにというように、キリスト教は広がってゆきました。迫害があって散らされれば、散らされた所に福音が広まってゆきます。

その後、各地のユダヤ人コミュニティーを回ってパウロは伝道しましたが、執拗《しつよう》な反発が繰《く》り返《かえ》されるので、とうとうパウロは、自分はもうユダヤ人に伝道するのはやめたと言って、異邦人伝道をしました。

「あなたがたの血は、あなたがた自身にかえれ。わたしには責任がない。今からわたしは異邦《いほう》人《じん》の方に行く」（使徒行伝一八章六節）とあるとおりです。そうして、キリスト教は中近東一帯に、やがてヨーロッパにも広がっていったんです。

まず、クリスチャンが先にイスラエルの地を追われました。その後、エルサレムはさんざんなことになりまして、ローマ軍によって滅《ほろ》ぼされ、多くの命が奪《うば》われた。また生き残ったユダヤ人たちも、祖国を追放されるような目に遭《あ》いました。

ですから、エルサレムが滅びる前に、迫害《はくがい》され散らされたことによって、かろうじて助かって命を全うしたのがクリスチャンだったことになります。そういうことを思うと、迫害や、何か訳《わけ》のわからない失敗や妨害《ぼうがい》がある時に、神様はそのことを通して、救いの御手《みて》を広げておられることを知らされます。さらに、

「彼らの罪過によって、救いが異邦人に及《およ》び、それによってイスラエルを奮起《ふんき》させるためである」とあります。ここは、「奮起」ではありません。「παραζηλόω《パラゼーローオー》 妬《ねた》みを起こさせる」という語です。ですから原文を直訳《ちょくやく》すると、「彼らに妬みを起こさせるためである」となります。

妬みを起こすというのは、どういうことか。

聖書の信仰、メシアの宗教というものは、本来はユダヤ民族のものです。ところが、ユダヤ人

以外の異邦人《いほうじん》がこれを信ずるようになった。しかも、この福音が伸《の》びてゆくところに、ますます皆が祝される。その祝福に与《あずか》った異邦人が神を賛《たた》えているのを見ると、「この信仰はおれたちの専売特許《せんばいとっきょ》だと思っておったのに、これはいったいどうしたことか」と、ユダヤ人に妬《ねた》みを起こさせるためであると言うんです。

神の知恵《ちえ》は素晴《すば》らしいかな

しかし、もし、彼らの罪過が世の富となり、彼らの失敗が異邦人の富となったとすれば、まして彼らが全部救われたなら、どんなにかすばらしいことであろう。（一一章一二節）

彼らユダヤ人は、不信仰で知らずしてキリストを迫害《はくがい》しましたが、そのことが世界の富となり、彼らの失敗が逆に異邦人の富となる。そうだとしたら、なんとまあ神の知恵は素晴らしいかな。

それでパウロは、

「ああ深いかな、神の知恵と知識との富は。そのさばきは窮《きわ》めがたく、その道は測りがたい」（一一章三三節）と感嘆《かんたん》しております。

神様のなさり方は、人間の頭の理解ではいかんのです。

「まして彼らが全部救われたなら、どんなにかすばらしいことであろう」。「全部」という語は、「πλήρωμα《プレーローマ》　満ちること」です。「全部救われる」と訳《やく》しておりますが、プレローマは「成就《じょうじゅ》、完遂《かんすい》、完成」という意味もあります。失敗とか罪過の反対は、プレローマ(成就)です。

ですから、

「彼らが、御心《みこころ》を成《な》し遂《と》げるようになった暁《あかつき》には、どんなに素晴《すば》らしいだろう」ということですね。ユダヤ人は、もともとが優《すぐ》れた民族ですから、どんなに素晴らしいか、どんなに大きいことになるだろう。

シオンが回復される時

兄弟たちよ。あなたがたが知者だと自負することのないために、この奥義《おくぎ》を知らないでいてもらいたくない。一部のイスラエル人がかたくなになったのは、異邦人《いほうじん》が全部救われるに至《いた》る時までのことであって、こうして、イスラエル人は、すべて救われるであろう。すなわち、次のように書いてある、

「救う者がシオンからきて、
ヤコブから不信心を追《お》い払《はら》うであろう。

そして、これが、彼らの罪を除《のぞ》き去《さ》る時に、
彼らに対して立てるわたしの契約《けいやく》である」

（一一章二五〜二七節）

イスラエル人が頑《かたくな》になったので、異邦人《いほうじん》が救われた。その異邦人が全部救われる時（満ちる時）に至《いた》れば、イスラエル人もすべて救われる。救う者がシオン（エルサレム）から来て、ヤコブから不信心を追《お》い払《はら》うであろう。救う者というのは、メシアのことです。ついにシオンが回復される時に、メシアが来る。

聖書は、このように預言的なものです。しかも、その預言は旧約時代に止《とど》まらず、現代になおこの預言が続き、そして昨年（一九六七年）、ついにシオンがユダヤ人の手に回復された。新約聖書のパウロは、実に最大の預言者の一人だと私は思います。

聖なる歴史に立つ

私は、聖書を解釈《かいしゃく》するのに、神は歴史を通してご自分を現したまい、またご自分の経綸《けいりん》を行ないつつあるものだという立場に立って読んでおります。単なる組織神学や教理神学の抽象的《ちゅうしょうてき》な議論《ぎろん》として、私は読んでいません。

ドイツ語でHeilige《ハイリゲ》 Geschichte《ゲシヒテ》という言葉があります。英語でいえば、Holy《ホーリー》 history《ヒストリー》——聖なる歴史です。聖書は、聖なる民イスラエルに神が現れた記録ですから、そのイスラエルの歴史を無視《むし》して聖書を論《ろん》じたって、それでは聖書というものが成り立たないんです。パウロのものを読みましても、そうです。

聖書は、現在にも続く聖なる歴史として読む時に生き生きとしてきます。今も、聖なる歴史がどう進むかということは、重大な問題なんです。この「聖史」から見ると、昨年、六日戦争の結果、全エルサレムがイスラエルの領有に帰したことは大変な出来事です。イエス・キリストは、「やがて異邦人《いほうじん》の時が満ちたら、エルサレムはユダヤ人のものとなる」(ルカ伝二一章)と預言されましたが、その時が満ちたのを見るからです。

かねがねホーリー・ヒストリーの立場で聖書を読んでいる私は、このことに狂喜《きょうき》するんです。しかし、眠《ねむ》っているキリスト教会は、全然反応を示さない。どうしてこんなに開きがあるのかというと、聖書の読み方が違《ちが》うからです。

私たちはエルサレム回復の意義を知り、これを叫《さけ》び、「パウロよ、よかったなあ」と言うつもりで、エルサレムにまで祝賀に行くんです。こういうことは、世の人が理解しないところです。エルサレムに行きますと、新聞記者たちがやって来て質問されます。

「あなたがたは異邦人《いほうじん》であるのに、どうして祝賀に来るのか？」

「どうして来るかって、私は聖書の愛読者だから当たり前のことだ。旧約聖書を開けば、イスラエルの民《たみ》は世界に散らされても帰ってくると、預言者エレミヤでもイザヤでも、皆、言っているではないか。それだけではない、イエス・キリストも言い、またパウロも言ったとおりになったんだから、これを喜ばずにおられますか。二千年の間、忘《わす》れられていたような神様の計画が、突《とつ》然《ぜん》こうやって成ったんです」

私の家の隣《となり》にはイスラエル大使館がありますが、イスラエルの大使が、

「しかし、国連はエルサレムの領有を承知《しょうち》しない」などと言う。

「そんなこととは違《ちが》う。信仰、宗教の問題は、そんな政治の問題とは違う」と話しますけれども、彼にはわからない。ユダヤ人自身がわかっていないと思う。

しかし、パウロの言っておることは、これは卓見《たっけん》です。

ヘブライ大学の定礎式《ていそしき》

それで、私は大いにエルサレム回復の祝賀に行くわけです。現代では、人々は私のようには聖書を読まないですね。しかし、かつて私と同じような聖書の読み方をしておった人がおります。

それは内村鑑三《かんぞう》先生です。今日、『内村鑑三全集』を広げておりましたら、次のような記事がありました。内村先生が、大正七年の講演で語られたものです。

エルサレム・ヘブライ大学の定礎式

＊

「カイロ来電＝エルサレムの近傍《きんぼう》なるスコパス山にこの度《たび》ヘブライ大学の礎石《そせき》横たえられたり。これユダヤ民族主義運動の綱領《こうりょう》中の最も重要なるものにして、パレスチナ英国遠征軍《えんせいぐん》司令官アレンビー将軍《しょうぐん》、その他仏国、伊国の将校を始め、パレスチナ・ユダヤ人、エジプト・ユダヤ人および各種団体の代表者これに列し、十二種族を象徴《しょうちょう》する十二個の礎石をもって定礎式をおこない、ワイツマン博士その第一石を据《す》えたり」

（『東京朝日新聞』八月四日所載《しょさい》）

「われ、わが群れの残りたる者を、その追い放ちたるすべての地より集め、再びこれをその牢《おり》に帰さん。彼らは子を産みて多くなるべし。われ、これを養う牧者をその上に立てん。彼らは再びおののかず、恐《おそ》れず、また失《う》せじとエホバ言いたもう。

　エホバ言いたまいけるは、見よ、われ、ダビデに一つの義《ただ》しき枝を起こす日来たらん。彼、王となりて世を治め栄え、公道《おおやけ》と公義《ただしき》を世におこのうべし。その日、ユダは救いを得、イスラエルは安きにおらん。その名は『エホバ、われらの義』ととなえらるべし。

　このゆえにエホバ言いたもう、見よ、イスラエルの民《たみ》をエジプトの地より導き出《い》だせしエホバは生くと人々また言わずして、イスラエルの家の裔《すえ》を北の地とそのすべて追いやりし地より導き出だせしエホバは生くと言う日来たらん。彼らは自己《おのれ》の地におるべし」

（エレミヤ書二三章三～八節）

「なんじを苦しめたる者の子らは、かがみて、なんじに来たり、なんじをさげすみたる者はことごとくなんじの足下《あしもと》に伏《ふ》し、かくてなんじをエホバの都イスラエルの聖者のシオンととなえん」

（イザヤ書六〇章一四節）

聖書全体を通じて示さるる三大事実がある。キリストを信ずる者の将来《しょうらい》はその一である。神を信ぜざる者の将来はその二である。イスラエルの将来はその三である。

神はしばしばわれらの信仰を助けんがため、ある歴史的事実をもってわれらを教えたもう。イスラエルに関する事実もまたこれである。復活または審判《しんぱん》というがごとき信じがたき事実を信ぜしめんがため、ユダヤ人の運命を目前に現出せしめて、これが証明とならしめたもうのである。

ユダヤ人は多くの点において恐《おそ》るべき国民である。しかしながらその最も恐るべきは、彼らが聖書の預言の証明者たることにある。他の国民は滅《ほろ》びたるも、ユダヤ人のみは滅びない。彼らは世界の最大強国の間にありて存続《そんぞく》を維持《いじ》することすでに四千年、その地は全く外国人の蹂躙《じゅうりん》にゆだねられ、彼ら自身は全世界に散乱《さんらん》するといえども、しかも今なお強健なる国民である。

しかして彼らが再びパレスチナに帰り、旧《ふる》きダビデの王国を造らんとの聖書の預言は、彼らの歴史によりて証明せられつつある。これ実に驚《おどろ》くべき事実である。千二百万のユダヤ人は、われらのために立てられたる福音の証明者である。彼らに関する預言成就《じょうじゅ》の事実を見て、われらはまたわれらに関する大なる預言の必ず成就すべきを信じ得るのである。

イスラエルの復帰に関する最も驚くべき出来事は、昨年十二月二十日におけるエルサレムの回復であった。久しく異邦人《いほうじん》の手にありし聖都はついにキリスト教国の手に移されたのである。しかしてその国の外務大臣は翌日《よくじつ》、議会に臨《のぞ》みて、ユダヤ人の代表者に送りし書簡《しょかん》を朗読《ろうどく》した（バルフォア宣言《せんげん》）。書簡の要旨《ようし》は、遠からずしてエルサレムをユダヤ人に還附《かんぷ》すべしというにあった。これを議会に向かって宣言したるは、すなわち全世界に向かって宣言したると異《こと》ならない。この一大事実のゆえに、一九一七年は実に世界歴史上永久に記念すべき一年となったのである。

＊

内村鑑三はこういう書き出しで、イギリスの外務大臣であったバルフォアの宣言について書いております。

＊バルフォア宣言…一九一七年十一月二日、イギリスの外相アーサー・バルフォアが、パレスチナにユダヤ人の国を建設することに同意した宣言。

この時、ユダヤ人が何をやりはじめたかというと、エルサレムでヘブライ大学の建設にまず着手しました。まだイスラエルの国もできていないし、エルサレムの都も回復していない。北部のガリラヤ湖周辺などに少数のキブツ（農業共同村）ができた程度の時に、とてつもない大きな理想をもって、エルサレムの展望山《スコパス》上に大学を創《つく》りはじめた。これは今から五十年前のことです。

このことについて、内村先生はさらに次のように言っておられます。

*

エルサレムはすでにトルコ人の羈絆《きはん》を脱《だっ》した。しかして今朝の新聞紙上、外国電報の伝うるところによれば、数日前、その地におけるヘブライ大学の定礎式《ていそしき》おこなわれたりという。かのシオン運動の重要なる計画中の一たりしエルサレム大学は、かくてついに建設の緒《ちょ》についたのである。これまた神の言《ことば》を信ずる者の最も注意すべき出来事である。

もしこのエルサレム大学にして設立せられんか、疑《うたが》いもなく、それは世界第一の大学となるであろう。これに要する資金のごときは、ユダヤ人の出資をもってせば、きわめて豊富なるべく、有名なる米国スタンフォード大学といえども、とうてい比肩《ひけん》するに足らないであろう。しかしながら大学設立に関する最大の困難《こんなん》は資金にあらずして人物である。世界いずれの大学にありても、適当なる教授の得がたきに悩《なや》まざるはない。

しかるにこれをユダヤ人中より物色せんか、その学科の何たるを問わず、世界第一流の学者を網羅《もうら》することができるのである。哲学者《てつがくしゃ》ベルクソン、医学者エールリッヒ、その他学界の名星は相率《あいひき》いてエルサレムに集まるであろう。かくて知識の中心はベルリンまたはロンドンより、旧《ふる》きダビデの町に移るであろう。いやしくも学問に志ある者はみな笈《きゅう》を負うてこの地に遊ぶであろう。初めて聖地(ホーリー・ランド)をたずねてヨッパの港に上りし者は、その、らくだの糞《ふん》にまみれたる貧寒《ひんかん》の光景を見て驚《おどろ》くのである。

誰《だれ》かここに留学するの日あるべきを想像しようか。されども今やその日は近づきつつある。「なんじを苦しめたる者の子らは、かがみて、なんじに来たらん」と預言したるとおりである。

(一九一八年九月『聖書之研究』)

＊

内村鑑三の預言

大きな預言というのは、こういう内村鑑三のような預言を言うんです。

まだ大学ができていない、礎《いしずえ》をただ置いただけの時に、内村先生は驚いてこういうことを書いて、ご自分の雑誌《ざっし》『聖書之研究』に発表しておられる。

最後に先生は次のように言っておられます。

「かかる時にあたりてユダヤ人の(シオンへの)復帰運動は進捗《しんちょく》し、エルサレム大学がその定礎式《ていそしき》を挙げたるがごときは、これを軽々に看過《かんか》することができない。余は信ず、大なる御手《みて》がかなたこなたを総攬《そうらん》して驚くべき計画を実行しつつあることを。ここにおいてか、われらの信仰は小なる個人の問題にあらずして、世界的、宇宙的問題《うちゅうてき》であることがわかる」と。

このように、内村鑑三はヘブライ大学の定礎式《ていそしき》にあたって、これに驚《おどろ》いて預言しました。また、バルフォア宣言《せんげん》を聞いて、「一九一七年」という年は驚くべき時だと言った。

内村先生は、預言したことが実現する日を見ずして死んでいったけれども、こういう洞察《どうさつ》というものは、どこからくるか。ホーリー・ヒストリーの立場に立った聖書の読み方をしなければ出てこないんです。

わからん奴《やつ》は言いますよ、「手島は、イスラエルを、ユダヤを、あまりに言いすぎる」と。それじゃあ、君は聖書の読み方を知っているのか。それでもおまえは伝道者面《づら》をするのか、と私は言うんです。それは、聖書に照らしての私の聖書解釈《かいしゃく》、また言っていること、していることが狂《くる》ってないからです。私を証明するのに内村鑑三がいる。

このことはお互《たが》いがほんとうに銘記《めいき》すべきことです。内村先生はその後、キリストの再臨《さいりん》運動を起こしました。これは普通のホーリネス派《は》の再臨運動とは違《ちが》っていました。ホーリー・ヒストリーの立場から割《わ》り出《だ》してものを言っているんですね。ただご再臨、ご再臨という再臨派とは違うんです。こういうことは、聖なる歴史から割り出すことが大事です。

パウロに戻《もど》りますが、彼は、

「シオンから救う者が、メシアが出てくる時が近づいたぞ」と言って、旧約の預言を引っ張り出して、二千年前にロマ書を書いています。これは、驚《おどろ》くべきことです。

ロマ書を生きて歩く者

私たちが聖地に行くことを通して、イスラエルの人々は妬《ねた》みを起こします。「なんで異邦人《いほうじん》なのに、彼らはこんなにエルサレムを愛するんだろう」と。そのように妬みを起こさせる者たちが現れると、やがてそのことが、「彼らにもっと聞こう」ということになって、ついにイスラエル人が救われる日が来るということです。

私は決して無意義な聖地の旅をしたと思っておりません。

普通の人は知らないんだ。ロマ書がキリスト教の最も中心だと言うなら、こうしてロマ書をほんとうに生きて歩いてみせる者たちがおるということに対して、どうして驚かないのだろうか。しかし、今のキリスト教会は眠《ねむ》っていますから、わかりません。カトリックであれ、プロテスタントであれ、わからないんです。

やがてわかる日が来るでしょう。まあ、私自身は何もわかってもらう必要もありません、自分でけっこう幸福ですからね。だが、いかがわしいこと、あやしいことを言う人たちがおるんです。

そして皆、無知ですから、それにまいるんです。

パウロは、この九章、一〇章、一一章で、ユダヤ人の躓《つまず》きと救いということを熱心に論《ろん》じている。神の歴史の未来を見ている。

そのような意味で、内村鑑三はヘブライ大学がエルサレムの展望山《スコパス》に定礎式《ていそしき》をしただけでも驚《おどろ》いて、預言的なことを言っています。そして今やヘブライ大学は、ヨーロッパ方面における最高の大学の一つに数えられているではないですか。フランスのソルボンヌ大学、イギリスのオックスフォード大学などと並《なら》んで、いちばん難《むずか》しい大学の一つになっています。

こういうことを言えた内村鑑三先生は偉《えら》い、と私は思います。普通の牧師どもと違《ちが》います。

私たちは、いよいよ聖書の本筋《ほんすじ》を生きているのだという自覚と誇《ほこ》りをもつ必要があります。

（一九六八年十一月十三日）

＊ハイム・ワイツマン…一八七四〜一九五二年。ロシアに生まれ、ドイツとスイスで学び、後にイギリスに移住。化学者、政治家、シオニズム運動の指導者の一人。イスラエル国の初代大統領。

第二四講

使徒パウロの悲願

ロマ書一一章一一～二一節

父祖アブラハム、イサク、ヤコブに始まり、モーセや、代々の預言者たちによって受《う》け継《つ》がれた真の信仰とメシア（キリスト）の福音、これが、どうしてユダヤ人に受け入れられないのか？

この問題について、パウロは内心の悲痛《ひつう》な祈りを込《こ》めて、ロマ書の九～一一章で論《ろん》じています。

元来、キリスト教とユダヤ教とは別個なものではありません。イエスの信仰も、パウロの信仰も共に、旧約聖書に起源《きげん》をもつ宗教の改革《かいかく》と完成を目指したもので、ナザレのイエスは、キリスト教という新宗教の樹立《じゅりつ》をもくろんで宣教《せんきょう》したのではありませんでした。

旧約宗教の歴史的発展《はってん》と完成が、イエス・キリストにおいて成就《じょうじゅ》した、とパウロは見ているのに、どうしてユダヤ人はこれを「救いの光」として受け取らないのか？

パウロは、キリストの生命《いのち》を伝えるために異邦人《いほうじん》のための伝道者となり、遠くローマにまでも行きました。自分の国民の救いをさておいて、異邦人伝道《いほうじんでんどう》に出かけることは、パウロにとって一つの問題でした。そして、世間ではすでに、「神はもうイスラエルの民《たみ》を見捨《みす》ててしまわれたのだろう。だから福音が我々異邦人に伝わったのだ」という声も聞こえてきます。

それに対してパウロは、「断じてそうではない！」と叫《さけ》びました。全世界に聖書の宗教を説くことは、神の反間苦悩《はんかんくのう》の策《さく》と見えるかもしれないが、ユダヤ人の救いを結果するのだ、とこの現実の背後《はいご》に働く神の歴史的摂理《せつり》を深遠な奥義《おくぎ》と論《ろん》じています。

十字軍《クルセード》への恨《うら》み

幾度《いくど》か聖地パレスチナを旅行してみて、そのたびに私が寂《さび》しく思うことは、あの地方にはほとんどクリスチャンがいないことです。それどころか、私がクリスチャンだとわかると、アラブ人でもイスラエル人でも、失望の表情を示します。

アラブ民族は、十字軍の占領《せんりょう》時代に、キリスト教の軍隊から残忍《ざんにん》・残酷極《ざんこくきわ》まりない仕打ちを受けた経験を、いまだに忘《わす》れてはおりません。聖地奪還《だっかん》の美名のもとにヨーロッパから押《お》し渡《わた》った十字軍は、パレスチナの住民に対して、掠奪《りゃくだつ》、暴行《ぼうこう》、殺人など、ありとあらゆる悪行を平気でしました。これでは、多くのアラブ人たちが西欧《せいおう》キリスト教を憎《にく》み嫌《きら》うのも無理はありません。

近年、アメリカから「クルセード（十字軍）」と称《しょう》して日本伝道に来る宣教師《せんきょうし》がありますが、私も同様に怒《いか》りを感じるんです。西洋人は、「十字軍」といえば何か信仰的に良いことのように思っています。しかし、騎士《きし》の典型とうたわれ、最も良い王様として有名な英国のリチャード王ですら、いかに残忍《ざんにん》であったか。

それに比べて、回教王サラディンが、どんなに十字軍の捕虜《ほりょ》を厚遇《こうぐう》したか。歴史を調べればわかります。「クルセード」は、東洋の諸民族《しょみんぞく》に対する西洋人の暴虐《ぼうぎゃく》を回想せしめ、忌《い》まわしい記憶《きおく》を呼び覚《さ》ます言葉なんです。

それを知らずに、「東洋人は無知だ。我々のキリスト教を受け取らない限り、おまえたちの文明は永劫《えいごう》の輪廻《りんね》から救われぬ」と言って、クルセード伝道集会をやる宣教師たちを見るときに、その横柄《おうへい》さに私は怒りを発してしまいます。宗教の名において十字軍を起こすなんて、バカにするのもほどほどにしてほしい。誰《だれ》がそんなものを信じるか。

また、ユダヤ人にしてみれば、千数百年間、ヨーロッパのキリスト教国で迫害《はくがい》され、いじめ抜《ぬ》かれていますから、頑《がん》としてキリスト教なんかを信じやしない。恨《うら》み骨髄《こつずい》に徹《てっ》しているんです。

しかるに、そのユダヤ人たちが、私たち日本の原始福音の一群に対しては極《きわ》めて好意を示し、尊敬《そんけい》をもって迎《むか》えてくれる。一体、これは何でしょうか。

パウロは、実に、このような伝道をしたかったのです。理屈《りくつ》ではなくして、「やあ、あなたがたは立派《りっぱ》だ、偉《えら》い！」とユダヤ人が感心して、妬《ねた》ましく思うほどの信仰運動が起きたら、彼らも必ず神に立ち帰る。これが、ロマ書一一章でパウロが言おうとする要旨《ようし》です。

イスラエルを妬ませよ

そこで、わたしは問う、「彼らがつまずいたのは、倒《たお》れるためであったのか」。断じてそうではない。かえって、彼らの罪過によって、救いが異邦人《いほうじん》に及《およ》び、それによってイスラエルを奮起《ふんき》させる(妬ませる)ためである。

（一一章一一節）

イスラエル人の不信仰がキリスト教を生んだといえば、結果的に生んだことになります。彼らが、宗教的反発のゆえに、イエス・キリストを十字架にかけて殺すといったような悲痛《ひつう》な出来事がキリスト教を生み、救いを異邦人にまでも及ぼさせる結果となりました。神様のなさることは実に不思議ですけれども、それによって「イスラエルを奮起させるためである」とパウロはここで言っています。

この「παραζηλοω《パラゼーロオー》 奮起させる」は、「ζηλοω《ゼーロオー》 熱心に慕《した》う、妬む」から派生した語で、英

幕屋巡礼団の市中行進

語の「嫉妬《しっと》(jealousy《ジェラシー》)」と同じ意味に基《もと》づいています。ですから、むしろ、「妬《ねた》みを惹《ひ》き起《お》こさせる」と訳《やく》すべきです。

ユダヤ人が、聖書は自分たちの宗教書だと思っていたのに、異邦人《いほうじん》がこれを信じだした。しかも、「彼ら異邦人の信仰は素晴《すば》らしいな!」と妬むようなことが起きはじめると、ユダヤ人もじっとしておられずに、信仰に立ち帰るだろう、というんです。

今回の聖地巡礼《じゅんれい》(一九六八年十月)に参加した教友たちが、大変に喜ばれて、口々に次のように言われました。

「特にうれしかったのは、イスラエル滞在《たいざい》の最後の日の朝、テルアビブの目抜《めぬ》き通りを行進した時だった。『祝エルサレム回復』の大バーナーを掲《かか》げて、『シャローム!(平安あれ!)』の歌声も高く、私たち巡礼団一行はディーゼンゴフ通りを進んだ。

交通量も多い通りだが、自動車も警官《けいかん》も、喜んで私たちを通してくれる。通りの両側のビルの窓《まど》から、たくさんの人々が手を振《ふ》って喜んでくれる。商店や事務所から人々が飛び出してきて、涙《なみだ》ながらに私たちを握手攻《あくしゅぜ》めにする。中には、花束やお菓子《かし》を持ってきてくれる婦人もある。多くのユダヤ人が、幕屋のクリスチャンに対しては深い敬意《けいい》を払《はら》ってくれた」と。

パウロの意図する状況《じょうきょう》は、まさに、このような現実だったのです。頑固《がんこ》なユダヤ人は、妬《ねた》ましいような状況が起きない限り、悔《く》い改《あらた》めない。

巡礼《じゅんれい》の最後に、私と別れる時には、巡礼団のバスを運転してくれた三人のイスラエル人運転手たちが皆、男泣きに泣いて祈りを共にしました。

ユダヤ教徒の彼らと、キリスト教徒の私たちとが、共に一つの神を賛《たた》え合《あ》いました。これこそ、使徒パウロが夢みた光景なのです。


しかし、もし、彼らの罪過が世の富となり、彼らの失敗が異邦人《いほうじん》の富となったとすれば、ましてや彼らが全部救われたなら、どんなにかすばらしいことであろう。

（一一章一二節）

イエス・キリストを殺したのはユダヤ教徒である。だからユダヤ人は不信仰の民《たみ》だ、と西洋人は根っから思って、憎《にく》みさげすんでいます。それは今に始まったことではありません。このロマ書は、キリスト教が発生してわずか三十年後頃《ごろ》に書かれたものです。しかし、すでにユダヤ人に対する軽蔑《けいべつ》、反感というものが兆《きざ》していたからこそ、パウロはこういう弁論《べんろん》を展開《てんかい》しているんです。

一人のユダヤ人パウロが福音に目覚めた結果、古代ローマ帝国《ていこく》全土に福音が拡《ひろ》がりました。だとすれば、ユダヤ人の全部が福音に立ち帰るならば、全人類の歴史はどんなに大きく変わるか！　確かに今日までで も、文明史の最高峰《さいこうほう》を連ねる大天才の多くが、ユダヤ人です。もし、イスラエル人の間に続々と聖霊のリバイバルが勃発《ぼっぱつ》すれば、世界史の軸《じく》が大きく変動することは間違《まちが》いありません。

ここにパウロが、民族愛で同胞《どうほう》の救いを悲願する理由があります。

パウロは心を痛《いた》めつつ、

「実際、わたしの兄弟、肉による同族のためなら、わたしのこの身がのろわれて、キリストから離《はな》されてもいとわない」（九章三節）と言っています。

死中に生あり

そこでわたしは、あなたがた異邦人《いほうじん》に言う。わたし自身は異邦人の使徒なのであるから、わたしの務めを光栄とし、どうにかしてわたしの骨肉《こつにく》を奮起《ふんき》させ(妬《ねた》ませて)、彼らの幾人《いくにん》かを救おうと願っている。

(一一章一三、一四節)

パウロは異邦人伝道に遣《つか》わされた者として、大いに自分の本分を誇《ほこ》りました。また、その使命の大成功は、常に神様への栄光の証《あか》しでした。パウロの赴《おもむ》くところ、どこでも、町全体がパウロの宣教《せんきょう》に耳を傾《かたむ》け、多くの市民が回心しました。しかし、いつもパウロの成功を嫉妬《しっと》し、伝道を妨害《ぼうがい》したのが、各地のユダヤ人でした。だが、少数でもよい、自分の骨肉ともいうべきイスラエル人に救いを伝え、福音の生命《いのち》を共にしたい、とパウロは切に願っていました。

もし彼らの捨《す》てられたことが世の和解となったとすれば、彼らの受けいれられることは、死人の中から生き返ることではないか。

(一一章一五節)

ユダヤ人が神から審判《しんぱん》され、その結果、世界じゅうの人が福音に浴して、神の民《たみ》となった。神と和解した。パウロの伝道を通して、当時始まったばかりのキリスト教ではありましたが、ヨーロッパや世界全体を罪から贖《あがな》い、世界を「καταλλαγη《カタラゲー》　和解、復縁《ふくえん》」させるエネルギーをもった驚《おどろ》くべき宗教であることを、ありありと証明しました。

＊「和解」と訳《やく》された「καταλλαγη《カタラゲー》」というギリシア語は、「(以前とは全く違《ちが》う)別のものに変えること、(神との関係の)根本的な改変」を意味する語。

世界をも覆《くつがえ》す、この福音の中にユダヤ人が受け入れられることが実現すれば、それは、死人の中から生き返るようなこととなる。ここの原文には、「生き返る」という語はありません。「死人たちの中からのζωη《ゾーエー》(生命《いのち》)ではないか」とあって、死人の中で生きていることではないか、と言うんです。死人の中にどれだけ生命を求めても、ないはずです。しかし、死中に生あり。死んだようなユダヤ人、その中に神の生命が芽生える。

「死者の復活」こそは、メシアの来臨《らいりん》に伴《ともな》う兆候《ちょうこう》です。ユダヤ人の回心は難《むずか》しいことかもしれませんが、これの可能性を信じて疑《うたが》わないのが、パウロのメシア信仰でした。神は全能であって、死人をも生き返らせることができる。

『碧巌録《へきがんろく》』の中の有名な一節に、

「髑髏《どくろ》識尽《しきつ》きて　喜び何ぞ立せん　枯木龍吟《こぼくりょうぎん》　銷《しょう》して未《いま》だ乾《かわ》かず」とあります。

脳《のう》みそも何もない髑髏《されこうべ》、意識などはとっくに尽きてしまっている。しかるに、居ても立ってもおられぬような歓喜《かんき》が、その骸骨《がいこつ》に湧《わ》き起《お》こってくる。枯木が龍《りゅう》のように吟《うた》い、天地を揺《ゆ》るがす。死んだように見えても、銷して未だ乾かない。しかり、これです！

実に、宗教は逆説的な救いなのです。ただ頭で神学などを議論《ぎろん》してわかったようなものは、本物ではありません。私たちは皆、過去においては、宗教感覚もないようなつまらない人間でした。死人同然、どれだけあがいても、ずるずると人生の暗黒の底辺をのたうつばかりでした。

しかしある時、神様が十字架の御血汐《おんちしお》を、キリストの生命《いのち》を、私たちの心にただ一滴《いってき》でも注いでくださってから不思議に胸《むね》のときめきを覚え、生命の光に入れられてしまった。有《あ》り難《がた》い人生が始まったんです。それは議論でなく、逆説的な経験なのでした。これは人間の努力による信仰ではない。全く一方的な恩寵《おんちょう》でしかありません。

福音の歴史的根幹

もし、麦粉の初穂《はつほ》がきよければ、そのかたまりもきよい。もし根がきよければ、その枝もきよい。

（一一章一六節）

「麦粉」という語は原文にありません。「αγια《ハギア》　きよい」という語は、「神のために聖別され、神に属するもの」という意味です。「απαρχη《アパルケー》　初穂《はつほ》」は、単に小麦にかぎらず、神前に奉納《ほうのう》する作物や家畜《かちく》の初物の総称《そうしょう》です。もし初穂の麦粉が、神に献上《けんじょう》してもよいほどにきよければ、その粉で作ったパンも、また神に献上してもよいに決まっています。

同様に、聖書の宗教においては、信仰の父祖となったアブラハム、イサク、ヤコブ、モーセの、その素晴《すば》らしい信仰が伝統となって、脈々と続いているんです。途中《とちゅう》、いろいろと紆余曲折《うよきょくせつ》する経過はあるにしても、必ず神に喜ばれる素晴らしい信仰が現れてくる。根が良ければ、良い枝が出てくるのは、当然です。エッサイの根、ダビデの裔《すえ》からメシアが起こるという思想も、これに由来します。

しかし、もしある枝が切り去られて、野生のオリブであるあなたがそれにつがれ、オリブの根の豊かな養分にあずかっているとすれば、あなたはその枝に対して誇《ほこ》ってはならない。たとえ誇るとしても、あなたが根をささえているのではなく、根があなたをささえているのである。
（一一章一七、一八節）

パウロはここで、信仰の関係をオリーブの木に譬《たと》えています。

オリーブという木は、永遠の生命の象徴《しょうちょう》です。この木は、次々に新芽が根から生え伸《の》びて、親木の幹にからみつく。古い幹が朽《く》ちても、新しい枝が根から生えて、それをかばうようにも伸びる。こうして、オリーブの木は千年も、二千年も生きつづけます。このオリーブの実を搾《しぼ》った油は食用油となり、傷口《きずぐち》を癒《い》やす薬となり、灯火《ともしび》となって暗夜を照らすので、砂漠《さばく》の生活においては、オリーブは欠かすことのできないものです。

有名な英国の歴史家A・トインビーは「文明の出合い」ということを言っていますが、旧約聖書の宗教に関係のなかったローマ人たちも、旧約の伝統に出合い、つながれたばっかりに、宗教的・歴史的一大変異《へんい》を来たしてしまいました。アブラハム以来の神の生命《いのち》に触《ふ》れると、不思議なことが起きるんです。この生命の脈動が、西に伸びてキリスト教となり、アラビア砂漠を覆《おお》っては回教となり、東に伝わっては大乗仏教の中の弥勒《みろく》思想や法華経《ほけきょう》として、また阿弥陀如来《あみだにょらい》として、深い影響《えいきょう》を及《およ》ぼしました。

ローマの信徒たちは、「我々こそ、キリストの生命に生きている！」と誇《ほこ》ったのでしょう。

確かに、野生のオリーブであっても、古き良き台木に接《つ》ぎ木《き》しますと、急にその幹も根も生き返って、ぐんぐん成長しはじめてきます。だが、だからといって、異邦人《いほうじん》が福音に浴していることとが、根っ子である旧約のアブラハム以来の信仰を強化賦活《ふかつ》させたと思うならば、それはローマ人たちの過信だ、とパウロは戒《いまし》めます。

尊《とうと》いのは、まず土台となっている根の存在《そんざい》だからです。

「オリーブの根の豊かな養分を共にする者となった」(一一章一七節)というのは、その根であるユダヤ人と共に、霊のイスラエルたる恵みに浴したことをいうのです。

「あなたが根をささえているのではなく、根があなたをささえているのである」(一一章一八節)。だから西洋人クリスチャンよ、誤解《ごかい》してはいけない。支えているのは根だ、ユダヤ人だ、と皮肉ってパウロはたしなめます。

それはちょうど、日本の男が男性に生まれたのを威張《いば》るようなものでして、男に産んでくれた母が女性であることを忘《わす》れているような、児戯《じぎ》に等しい言い分です。または逆に言うと、女であることを誇《ほこ》るアメリカ女性みたいなものです。男なしに女もないのに。

聖書の根本に帰って生命《いのち》を汲《く》み直《なお》す

すると、あなたは、「枝が切り去られたのは、わたしがつがれるためであった」と言うであろう。まさに、そのとおりである。彼らは不信仰のゆえに切り去られ、あなたは信仰のゆえに立っているのである。高ぶった思いをいだかないで、むしろ恐《おそ》れなさい。

（一一章一九、二〇節）

ユダヤ人のイエス・キリストへの不信仰の結果として、神様はユダヤ人を見捨《みす》て、西洋人にキリスト教を与《あた》えられるのだ、という誤《あやま》った考え方が、伝統的に西欧《せいおう》のキリスト教界に行なわれてきました。極端《きょくたん》にこの考え方を進めて、ロシアのポグロムや、ヒットラーのナチズムのように、ユダヤ人大量虐殺《ぎゃくさつ》を図《はか》った事例までであります。

＊ポグロム…ロシアを中心に起きた、ユダヤ人とその財産に対する集団的な襲撃《しゅうげき》、破壊《はかい》、虐殺のこと。

もし、「ユダヤ人はその不信仰のゆえに、永遠に切り捨てられた滅亡《めつぼう》の流民《るみん》だ」という思想が唱えられるのを聞けば、イエス・キリストでも、パウロでも、どんなに嘆《なげ》き悲しみ、怒《いか》ることでしょう。とんだ誤解《ごかい》に基《もと》づくものです。

ローマ人は、当時の古代ローマ帝国《ていこく》全土を支配する民族として、威張《いば》っておったでしょう。「福音を受け入れてやった」と言わんばかりの風潮《ふうちょう》もないではありませんでした。それに対してパウロは、「ユダヤの歴史なくして、あなたたちのこの栄光ある宗教的な贖《あがな》いの経験がありえただろうか。傲慢《ごうまん》になる前に、この厳粛《げんしゅく》な事実に思いを致《いた》したらどうか」と戒《いまし》めています。

原始福音というものは、いつでも今一度、聖書の根本に帰って、永遠の生命《いのち》を汲《く》み直《なお》すことに始まります。これがなければ、日本のキリスト教は立ち直らない。いや、世界のキリスト教は立ち直らないと思うんです。

信仰、信仰といいますが、何かの教理や使徒信経でも唱えたらよいというわけではありません。信仰とは、古い自分の生命が切断されて、アブラハムに発した大きな聖史に脈打つ神の生命の流れに新しく接《つ》ぎ木《き》されることをいうんです。

たとえ神の民《たみ》イスラエルでも、またキリスト教会といえども、この聖書の源流《げんりゅう》から離《はな》れ落《お》ちる時に、不信仰のそしりを免《まぬか》れず、霊的生命の退潮《たいちょう》は必至《ひっし》なのです。

信仰の接ぎ木

もし神が元木《もとき》の枝を惜《お》しまなかったとすれば、あなたを惜しむようなことはないであろう。（一一章二一節）

イエス・キリストは、ヨハネ伝で言われました、

「わたしはぶどうの木、あなたがたはその枝である。もし人がわたしにつながっており、またわ

たしがその人とつながっておれば、その人は実を豊かに結ぶようになる。わたしから離《はな》れては、あなたがたは何一つできないからである」(ヨハネ伝一五章五節)と。

すなわち、ぶどうの根に枝がつながっていなければ、枝は実を結ぶことはできません。キリストの生命《いのち》につながっている限り、私たちエクレシアの枝は生きてゆくことができます。

信仰とは、一度自分の生涯《しょうがい》が断《た》ち切《き》られて、全く新しく神に接《つ》ぎ木《き》されることをいうんです。しかし、接ぎ木をするためには、あえて古い木の枝を切り落としてしまわねば、別の枝を移植もできません。

「桃栗《ももくり》三年、柿《かき》八年」といいますが、この八年もかかる柿も、接ぎ木をすれば翌年《よくねん》には実を結びます。台木の根から上がってくる養分がすぐ役立つからです。私たちも、自分の古い考え、古い信仰、古い生き方を切《き》り捨《す》てて、新しくキリストの台木に移《うつ》し込《こ》まれ、神の聖霊に突《つ》き上《あ》げられたい。

信仰の第一歩は、まず生命の突き上げる台木(十字架の木)に移《うつ》し替《か》えられることからです。

主よ、どうぞ十字架の御血汐《おんちしお》を、私に汲《く》み上《あ》げてください! イエス・キリストに流れておった、あの神の生命が、どうか私の胸《むね》にも込み上がってきますように。

その時に、私たちは打って変わって、新しい人間が内側から誕生《たんじょう》してくるんです。

聖霊の生命《いのち》による新生回心の経験――これ以外に、原始福音の信仰の秘密《ひみつ》はありません。パウロがロマ書で言っているのは、このことなんです。

だが、このためには、キリストの側に、どれくらい悲痛《ひつう》な傷《きず》があるか。生命を注ぎ、血を流すためには、自分の血管を破らなければ輪血できません。同様に、神様は十字架という傷口を通して、御血汐《おんちしお》を汚《けが》れた血の私たちに注いでくださる。

人々は、キリスト教の教理で救われると思っているかもしれません。しかし、この私に関する限りは、キリストの十字架の血によらずしては、救われることも、新しく自己《じこ》を変異《へんい》することもありませんでした。

人々は、「あの人はこんなだった、あんなだった」と、過去をとがめるかもしれません。しかし、過去はサタンにくれてやってもよい。私には永遠がある。他人《ひと》が言うように、自我の棘《とげ》だらけの醜《みにく》い過去かもしれませんが、今の私には永遠の生命が流れつつある。この不思議を見てほしいと思いましても、生命は内に在って、外側から見ることはできません。

しかし、自分の内側に脈々と流れる不思議な十字架の血の生命、ここに贖《あがな》いがあるんです。頭でキリスト教の教理を信じることと、魂の内なる体験は違《ちが》うんです。信仰は、キリストの霊と全く一つになる体験なんです。Religion《レリジョン》（宗教）とは、「再結合」の意味です。

私たちが救われた時のことを考えてみると、私たちが卑《いや》しく苦しかった時に、神様は現れてくださった。行《ゆ》き詰まって頭を抱《かか》えた時、突如《とつじょ》として光が臨《のぞ》みました。傷ついた生涯《しょうがい》、失敗、ブロークン・ハート(傷心《しょうしん》)に、キリストは入ってきてくださるんです。その時に、嘆《なげ》きは変わって祈りとなり、憂愁《うれい》は歓喜《かんき》の歌となるんです。こういう回心の喜びは、一人ひとりが体験しなければわかりません。

過去において苦しんだ私、しかし、今生きているのは昔の私ではありません。新しい生命《いのち》です。日々に聖霊が、この古い体に息づいてくださる喜び。パウロにとって、信仰とはこういうことでした。

(一九六八年十一月十七日 ①)

＊本稿《ほんこう》(第二四、二五講)は、東京・全国町村会館における日曜集会での講義より筆記。

＊十字軍(クルセード)…西ヨーロッパのキリスト教徒が、イスラム教徒から聖地エルサレムを奪回《だっかい》するために行なった遠征《えんせい》。十一世紀末から十五世紀中頃《なかごろ》(狭義《きょうぎ》には十三世紀後半)まで、幾度《いくど》も行なわれた。

＊回教王サラディン…一一三八〜一一九三年。イラクに生まれたクルド人。エジプトのアイユーブ朝の創《そう》建者《けんしゃ》。英明な君主で、イスラム教徒にも十字軍にも、武人の鑑《かがみ》として尊敬《そんけい》された。

＊碧巌録…中国・宋《そう》代（十二世紀）の仏書。禅《ぜん》の古則公案百則を集めた公案集。

＊使徒信経…使徒信条ともいう。使徒から伝えられたと信じられている信仰告白のこと。内容は、イエス・キリストの生誕《せいたん》、受難《じゅなん》、十字架の死、復活、審判《しんぱん》、聖霊、教会、罪の赦《ゆる》しなどへの信仰告白。

第二五講

異《い》邦人《ほうじん》の時満ちて　ロマ書一一章二二～二七節

神の慈愛《じあい》と峻厳《しゅんげん》とを見よ。神の峻厳は倒《たお》れた者たちに向けられ、神の慈愛は、もしあなたがその慈愛にとどまっているなら、あなたに向けられる。そうでないと、あなたも切り取られるであろう。（一一章二二節）

ここで「慈愛」と訳《やく》されている語は、「χρηστοτης《クレーストテース》 慈悲、情け深さ、親切」とも訳せます。

「神の慈愛と峻厳とを見よ」。神は愛です。無限の愛です。しかし、峻厳です。神を侮《あなど》ってはいけません。せっかく丹念《たんねん》に育てられた選民ユダヤ人でも、不信仰になると容赦《ようしゃ》なく打《う》って捨《す》てるのが神です。躓《つまず》いた不信仰な者には、神は恐《おそ》るべくして峻厳、とても近寄りがたい。

だが、罪深くして、とても神様の前なんかには出られないはずのローマ人でも、ひとたび悔《く》いて神に立ち帰れば、豊かな恩恵《おんけい》を注いで愛育してくださる。神は一視同仁《いっしどうじん》で、ユダヤ人にも異邦《いほう》人《じん》にも同じく遇《ぐう》される。各人の信・不信によって、仁慈《じんじ》と峻厳《しゅんげん》に分かれます。神に背《そむ》く罪の心が、天国の敷居《しきい》を高くし、恐《おそ》ろしくさせてしまいます。

神の慈愛に留《とど》まること

信仰とはすなわち、神の慈愛、慈悲に留まる経験をいうんです。自分が何かを頭で信じることではありません。神の愛に支えられている状況《じょうきょう》を「信仰」というんです。「こんなつまらぬ奴《やつ》を、神様、どうしてあなたはこんなに愛してくださるんですか」と、私は泣きたいような毎日です。もし聖霊の愛から切り落とされたら、福音全体から切《き》り捨《す》てられてしまうんです。

ですから、信仰というのは、自分が信ずるとか、自分が正しいとかではないんですね。神の愛に投げ身して生きるか、どうか。神の慈愛に全託《ぜんたく》することが、福音信仰なんです。信仰の初歩の人は、「私は神様を愛します」とよく言います。そんな簡単《かんたん》に、人間が神を愛することができるだろうか。「愛する」といって努力した愛、義理で愛する愛など、到底《とうてい》「愛」ではない。ほんとうに愛されてみなければ、愛ということはわかるはずもありません。

ある婦人が言いました、

「先生、こんなに遇《ぐう》していただいていいんでしょうか。どうやって私はお返ししましょう」と。

私からわずかばかりの愛を受けて、それを金銭で返そうとする。

「そんな継子《ままこ》みたいな心では、あなたは愛を失うよ」と言うんです。神様が彼女を大いに恵もうとされるのに、

「神様、私は卑《いや》しい女です。もう結構です」と言って辞退したならば、神様といえども、彼女を愛することができない。人から愛されることを許さないなら、神から愛されることをも拒《こば》む。ここに信仰の量りがあります。それでパウロは言うんです、

「神の慈愛《じあい》にとどまっているなら、その慈愛はあなたに向けられる。そうでないと、あなたも切り取られるであろう」と。神の愛から離《はな》れて、自分の力で生きて、「さあ、私は神にご奉仕《ほうし》をします」というような傲慢《ごうまん》な気持ち。こんな教会の役員たちがもつ尊大《そんだい》な根性がある限り、彼らに信仰は根無し草でしかありません。

愛される者の愛は強い

「ペテロは主を愛したが、ヨハネは主に愛された」とアウグスチヌスは評しました。

ペテロは主イエスを愛して、

「主よ、わたしは獄《ごく》にでも、また死に至《いた》るまでも、あなたとご一緒《いっしょ》に行く覚悟《かくご》です」（ルカ伝二二章三三節）と言いました。しかし、イエスが十字架にかけられる前に、三度も主を否《いな》んだのがペテロでした。「私は愛します」という能動的な信仰はしくじります。

それにひきかえ、ヨハネは若《わか》い弟子《でし》でしたが、主イエスの十字架の刑場《けいじょう》まで恐《おそ》れずにつき従《したが》ってゆきました。愛される者は、愛のゆえに強い。

マグダラのマリヤは、七つの悪鬼《あっき》に憑《つ》かれたような忌《い》まわしい女でした。しかし、神から多くの罪を赦《ゆる》されたマリヤは、強い男の弟子たちが皆、主イエスを捨《す》てて逃《に》げ去《さ》ったのに、弱い女の身でありながら、ゴルゴタの十字架の丘《おか》まで主を慕《した》って行きました。主イエスの死後、朝まだきに、いち早くお墓参りに出かけたのもマグダラのマリヤでした。

愛されるということができない者は、愛を知りません。信仰とは、神に愛される生涯《しょうがい》をいうんです。また人に愛される生涯をいうんです。愛は無私です。「自分があの人を愛したのに……」とも思わないから、ちっともグチが出ません。

最も愛した人から裏切《うらぎ》られた悲しみと痛《いた》みは、いつまでも私に残って、血が流れるようにも疼《うず》きます。しかしながら、そのことのゆえに、その人を恨《うら》むことはない。それは、金銭貸借《たいしゃく》のように、取り返せば済《す》む愛ではないからです。
愛は、泉《いずみ》の水のように自《おの》ずと心底から湧《わ》くのでなければ、清く純粋《じゅんすい》ではありません。

イスラエルの希望

しかし彼らも、不信仰を続けなければ、つがれるであろう。神には彼らを再びつぐ力がある。なぜなら、もしあなたが自然のままの野生のオリブから切り取られ、自然の性質に反して良いオリブにつがれたとすれば、まして、これら自然のままの良い枝は、もっとたやすく、元のオリブにつがれないであろうか。（一一章二三、二四節）

接《つ》ぎ木《き》雑種といって、接ぎ木の結果、第三の優秀《ゆうしゅう》な性質が生まれてくるように、イスラエルの宗教と関係のないローマ人ですら、福音に接がれると、素晴《すば》らしい変化が起きました。だが、もともと素晴らしい枝であるイスラエルです。これが神の生命《いのち》に「拒否《きょひ》反応」さえしなければ、これを福音の台木に接ぐことは、いとも容易なことです。不信仰という病菌《びょうきん》を切除《せつじょ》さえすれば、神の枝イスラエルは、いつでも神によって元の根に接《つ》ぎ戻《もど》されることができる。死からも復活せしめる力を神様が発動すれば、即刻《そっこく》にでも可能である。

もし、自分の同胞《どうほう》である全ユダヤ民族がキリスト（メシア）に帰る日があったなら、どんなにうれしいことだろうか。全世界にキリストの福音が伝わった後に、必ずイスラエル人もキリストを強く待望するだろう。このことをパウロは信じ希願《きがん》しました。この思想はパウロ独特のものではなく、すでに主イエスが説かれた信念でした（マタイ伝二四章一四節）。

兄弟たちよ。あなたがたが知者だと自負することのないために、この奥義《おくぎ》を知らないでいてもらいたくない。一部のイスラエル人がかたくなになったのは、異邦人《いほうじん》が全部救われるに至《いた》る時までのことであって、こうして、イスラエル人は、すべて救われるであろう。

（一一章二五、二六節）

「異邦人が全部救われるに至る時まで」は意訳《いやく》しすぎです。原文を直訳すると、「異邦人たちの満ちること（πλήρωμα《プレーローマ》）に至るまで」となります。しかも、「τὸ πλήρωμα《ト プレーローマ》」とあって、定冠詞《ていかんし》つきです。すなわち、「異邦人の支配の終了時《しゅうりょうじ》」とか、「諸国民《しょこくみん》の贖《あがな》いが、あまねくみなぎる状態」とかを意味したのでしょう。

聖旨《みむね》にかなえば、今日にでも、元のオリーブの木に接《つ》ぎ戻《もど》されることのできるユダヤ人が、なぜ、すぐに救いに与《あずか》らないのか。この疑問《ぎもん》にパウロは答えて、ここで結論《けつろん》をつけています。救われるということには、順序がある。やがて最後に、全イスラエル人が救われる時が来る、というんです。これは神の奥義《おくぎ》です。

ゴットリーブ博士と

ゴットリーブ博士との出会い

先日、米国のバークレーで幕屋聖地巡《じゅん》礼団《れいだん》が泊《と》まった翌日《よくじつ》、ホテルで私の姿《すがた》を認《みと》めると、追いすがるように近寄ってきた老人がいました。そのかたはアブラハム・ゴットリーブ博士といい、カリフォルニア大学の整形外科の名誉《めいよ》教授で、医学界の泰斗《たいと》として令名高き大碩学《だいせきがく》です。

「昨日、英文版の『生命の光』誌《し》をある人から頂《いただ》きました。読みだしたら、一頁《ページ》一頁、興奮《こうふん》してしまいました。こんなに感動して読んだ本は、近来にありませんでした。私は長い間、あなたのような人が地上に出現する日を待っていました。

そして、その人が日本に出たのだ！　なんという驚《おどろ》きであり、喜びでしょう！　私は老人で、もう長い間、涙《なみだ》も涸《か》れていたのに、今日は感激《かんげき》の涙にむせんでいます。ほんとうに有《あ》り難《がた》い！　こんな精神運動が日本に起こったことは、世界の希望です。もう私は死んでも本望《ほんもう》です。今後は、あなたたちの信ずる神を私も信じます……」

と、全身ふるわせながら、熱情込《こ》めて語られる姿《すがた》に、私は英文版『生命の光』誌《し》を出した意義を知りました。

その後、博士から次のような手紙が届《とど》きました。

「手島先生、あなたたちのイスラエルへの訪問《ほうもん》が大成功であったことを新聞で読み、わがことのように喜んでいます。私はこのうれしい気分を聖なる言葉（ヘブライ語）で表現できず、恥《は》ずかしいです。私の八十八年の長い生涯《しょうがい》で、あなたのような偉大《いだい》な日本人に出会ったのは初めてです。また同行の紳士《しんし》淑女《しゅくじょ》たちは皆、教養が高いばかりでなく、極《きわ》めて霊的であることを見て驚きました。

『生命の光』誌を読みつつ、私は熱狂《ねっきょう》したいほどです。人種や宗教、道徳、習慣の差異《さい》を超《こ》えて、相互《そうご》に理解し合い、寛容《かんよう》と愛情をもって一つの世界に協調して住みえるものだとの信念を、いっそう確かめました。

あなたに出会い、あなたのグループを見て、私の長い間の夢と念願と幻想《ファンタジー》が実現する時が来たのだと思い、あなたの教えは私に希望を与《あた》えます。すでにその第一歩は、あなたの指導と教説で成ったのです。手島先生の未来への努力を、神よ、祝したまえ！

あなたの知己《ちき》のマルチン・ブーバーには、一九〇四年、私がパレスチナに旅行の途次《とじ》、オーストリアのウィーンに立ち寄った時に知り合うことができました。彼は大学院で哲学《てつがく》博士となるための準備をしていました。その時、テオドール・ヘルツェルが死にまして（七月三日）、私はロシアのリガ大学の学生でしたが、この偉大《いだい》なる近代シオニズム運動の創始者《そうししゃ》ヘルツェルの葬儀《そうぎ》の護衛《ごえい》学生たる名誉《めいよ》を担《にな》うことができました。

当時、ダヴィッド・ベングリオン（イスラエル初代首相）もイツハク・ベンツヴィ（イスラエル第二代大統領）も私と同様に学生で、理想主義者でした。若《わか》い私たちの胸《むね》に宿った幻想が今や現実となって、ユダヤに、また手島先生とその一団に見ることができようとは、ああ、八十八年の老齢《ろうれい》まで生き延《いの》びて、激《はげ》しい幸福感に酔《よ》います……」

そこで、私は考えました。少数ながらもキリスト・イエスを信じているユダヤ人にも接近して、彼らに手を差《さ》し伸《の》べて語りたい、と。互《たが》いに交流して、一つの神を賛美し、互いに一つの聖史につながる愛の交わりを喜びたいと願います。

パウロの言わんとする奥義《おくぎ》は、実に、エルサレムの回復をきっかけに、ユダヤ民族の回心《テシュバー》という神の時が必ず到来《とうらい》するという預言でした。一般《いっぱん》のユダヤ人が妬《ねた》むくらいに、宗派《しゅうは》を超《こ》えて、互いに熱く神の生命《いのち》に生き、愛に生きる私たちでありたい。原始福音の一団を見てくれたら、パウロも念願がかなえられて喜ぶでしょう。

＊テシュバー…神に立ち帰ることを意味するヘブライ語。

原始福音による精神復興を

こうして、イスラエル人は、すべて救われるであろう。すなわち、次のように書いてある、

「救う者がシオンからきて、
ヤコブから不信心を追《お》い払《はら》うであろう。
そして、これが、彼らの罪を除《のぞ》き去《さ》る時に、
彼らに対して立てるわたしの契約《けいやく》である」

（一一章二六、二七節）

パウロはここで、イザヤ書五九章の聖句を引用しながら、伝道の困難《こんなん》な中からも同胞《どうほう》であるイスラエル人の救いを祈っております。神言《しんげん》は不動です。エルサレム（シオン）に救う者（メシア）が必ずやって来て、イスラエル民族の霊を熱く燃やし、信仰をかき立てる時、彼らの罪は拭《ぬぐ》い去《さ》られる！　と。その時は近い！

いついつと待ちにし人は来たりけり今はあひ見て何か思はむ（古歌）

生けるキリストの霊的来臨《らいりん》は、昔に変わらず、今も続いています。見えざるメシアの活動は、信ずる者に働きます。

私たちもパウロにならって、日本民族の霊性の回復のために祈りたい。暗い前途《ぜんと》に落胆《らくたん》せず、現下の道義の退廃《たいはい》に失望せず、神霊の火を赤々と燃やしてゆけば、キリストの御愛の中に全東洋人が生きて喜ぶ日々が明け黎《あそ》めるでしょう。

日出《ひい》ずる国・日本が、世界史に大きい役割《やくわり》を果たすためには、原始福音による精神復興こそ最重要な定礎式《ていそしき》というべきでしょう。

（一九六八年十一月十七日　②）

＊アウグスチヌス…三五四〜四三〇年。北アフリカに生まれる。初期キリスト教会最大の教父。神学者、思想家。その神学と哲学《てつがく》は、後のキリスト教思想に多大な影響《えいきょう》を与《あた》えた。主著《しゅちょ》は『告白』『三位一体論《ろん》』『神の国』など。

＊テオドール・ヘルツェル…一八六〇〜一九〇四年。オーストリアのユダヤ人ジャーナリスト。政治的シオニズム運動の創始者《そうししゃ》で、近代イスラエル建国の父。主著は『ユダヤ人国家』『古くて新しい国』など。

＊シオニズム…ユダヤ民族が、父祖の地シオン(イスラエル)に帰り、国家を建設しようとする運動。ヘルツェルの死から四十四年後の一九四八年五月、イスラエルは建国された。

〔第二六講　ロマ書一一章二八～三六節〕

28福音について言えば、彼らは、あなたがたのゆえに、神の敵とされているが、選び
について言えば、父祖たちのゆえに、神に愛せられる者である。29神の賜物《たまもの》と召《め》しとは、
変えられることがない。30あなたがたが、かつては神に不従順《ふじゅうじゅん》であったが、今は彼ら
の不従順によってあわれみを受けたように、31彼らも今は不従順になっているが、それ
は、あなたがたの受けたあわれみによって、彼ら自身も今あわれみを受けるためなので
ある。32すなわち、神はすべての人をあわれむために、すべての人を不従順のなかに閉《と》
じ込《こ》めたのである。
33ああ深いかな、神の知恵《ちえ》と知識との富は。そのさばきは窮《きわ》めがたく、その道は測り
がたい。
34「だれが、主の心を知っていたか。
だれが、主の計画にあずかったか。
35また、だれが、まず主に与《あた》えて、
その報《むく》いを受けるであろうか」

36万物《ばんぶつ》は、神からいで、神によって成り、神に帰するのである。栄光がとこしえに神にあるように、アァメン。

〔ロマ書一二章一節〕

1兄弟たちよ。そういうわけで、神のあわれみによってあなたがたに勧《すす》める。あなたがたのからだを、神に喜ばれる、生きた、聖なる供《そな》え物《もの》としてささげなさい。それが、あなたがたのなすべき霊的な礼拝《れいはい》である。

第二六講

神の憐《あわ》れみに生きる人

ロマ書一一章二八節〜一二章一節

旧約聖書の中心問題は、「救う者」すなわちメシアでありまして、メシア(キリスト)が来なければ、メシアの影響《えいきょう》が及《およ》ぶような世が来なければ、どうにもならないということです。これが旧約の結論《けつろん》であり、イスラエルの民《たみ》はキリストを待望しつづけました。

そしてついにキリスト(メシア)が現れましたが、イスラエルの民は信ずることができないで、キリストを捨《す》ててしまった。しかし、その不信仰のゆえに、福音はイスラエルからギリシア、ローマに、また東方にと、次々に移ってゆきました。

それならば、神はイスラエルを捨ててしまったのだろうか。

断じてそうではない。異邦人《いほうじん》に福音が満ちた時に、イスラエル人はすべて救われるであろう。

そのことを、パウロは次のような言葉で未来の予言をしています。

兄弟たちよ。あなたがたが知者だと自負することのないために、この奥義《おくぎ》を知らないでいてもらいたくない。一部のイスラエル人がかたくなになったのは、異邦人《いほうじん》が全部救われるに至《いた》る時までのことであって、こうして、イスラエル人は、すべて救われるであろう。

すなわち、次のように書いてある、

「救う者がシオンからきて、ヤコブから不信心を追《お》い払《はら》うであろう。

そして、これが、彼らの罪を除《のぞ》き去《さ》る時に、彼らに対して立てるわたしの契約《けいやく》である」

（一一章二五～二七節）

私は、ロマ書のこういうところを読みつつ、私たちがいちばんロマ書をわかるのではないかと思うんです。一章から八章までの、いわゆる教義といわれる箇所《かしょ》については、キリスト教会でもよく読みます。しかし、九章から一一章は、ユダヤ人問題について述べているところですから、それがいったい何なんだ、といって読みません。ここは神学者でもあまり深入りをしません。しかし、パウロはユダヤ人だったんですから、これは簡単《かんたん》に読み過ごすわけにはいかんのです。

重大問題です。それは何か。

一一章二八節から読んでみましょう。

賜物《たまもの》と神の召し《め》は不変

福音について言えば、彼らは、あなたがたのゆえに、神の敵とされているが、選びについて言えば、父祖たちのゆえに、神に愛せられる者である。神の賜物と召しとは、変えられることがない。

（一一章二八、二九節）

これはいい言葉ですね。「神の賜物(χαρισμα《カリスマ》)と神の召し(κλησις《クレーシス》)は変えられることがない」。「変えられることがない」というのは、「αμεταμελητος《アメタメレートス》　変更《へんこう》されない、取り消しができない」ことをいいます。

すなわち神様は、召した者には必ず不思議なカリスマを与《あた》えるということです。このようなカリスマ的クリスチャンは、今は非常に少ないです。だが、初代教会においては、伝道者として、また信者として召されたなら、必ずカリスマを与えられた。「賜物」と「神の召し」、これは不可分の関係にあることを意味します。神に召されると、まるで人が変わったようにカリスマ的人格というものが芽生えだす。そして、それは変わらない。

あなたがたが、かつては神に不従順《ふじゅうじゅん》であったが、今は彼らの不従順によってあわれみを受けたように、彼らも今は不従順になっているが、それは、あなたがたの受けたあわれみによって、彼ら自身も今あわれみを受けるためなのである。

（一一章三〇、三一節）

ユダヤ人はキリストを信ぜず、神に不従順でした。そのために不幸が続いている。しかるに、信仰に入ったクリスチャンを見ると、実に神様に憐《あわ》れまれている。そのことによって、やがてはユダヤ人も神に憐れまれる者になるのだ、ということです。あんなに行《ゆ》き詰《づ》まって苦しみあえいでおった人が、今はこんなに恵まれていなさる。うらやましいなあと思って、信仰の心が起きる。そして、恵まれない人が、不従順な人が、神に従《したが》って生きるようになる。憐れみを受け、憐れまれる人間になる。神の憐れみというものは理屈《りくつ》ではありません。

神の憐れみの器《うつわ》

それで、「信仰」とか「救い」とかいうのは何かと言いますと、神の憐れみに接することなんです。今までは、自分の独りよがりで生きておった者が、ある時から「ああ、私は神の憐れみの中で生きる人間になった」と言って、神の御愛に感激《かんげき》して生きる生涯《しょうがい》というものがあります。毎日、もったいないなあと涙《なみだ》が出てたまらない。

他人の目から見れば、社会的地位も低くて貧しいかもしれないけれども、魂はほんとうに恵まれて生きている人を見ると、その人は憐《あわ》れみの器《うつわ》ですね。誰《だれ》であっても、神に従順《じゅうじゅん》でなかったら救われないんです、憐れまれないんです。そこに、ユダヤ人、異邦人《いほうじん》の区別はありません。

ああ深いかな、神の知恵《ちえ》と知識との富は。そのさばきは窮《きわ》めがたく、その道は測りがたい。
（一一章三三節）

「神の知恵と知識との富は」とありますが、原文は「神の富と知恵と知識は」です。「富」と訳《やく》された語は、「πλουτος《プルートス》　富、豊かさ、財宝《ざいほう》」です。神は無限の富を、また無限の知恵と知識をもちたもう。その裁《さば》きは窮めがたく、その道は測りがたい。とても人間にわかるものではない。

「だれが、主の心を知っていたか。
だれが、主の計画にあずかったか。

また、だれが、まず主に与《あた》えて、
その報《むく》いを受けるであろうか」
（一一章三四、三五節）

原文は、主の「計画」ではなくて、「συμβουλος《シュムブーロス》 助言者、相談役」です。これは、旧約聖書にあるイザヤ書の言葉です。誰《だれ》が主の相談役となったりしたか。また、誰が主に与《あた》えて、その報いを受けるであろうか。誰もそんな者はいない。

神は無限の富をもちたもうかたである。その神様は、何か足らんだろうと思って、人間が少しご奉仕《ほうし》したり、与えたりできるようなものではありません。神様に少し差し上げて、それで恵まれるというようなことはありません。

聖書の神観

万物《ばんぶつ》は、神からいで、神によって成り、神に帰するのである。栄光がとこしえに神にあるように、アァメン。
（一一章三六節）

ここの原文には、三つの前置詞《ぜんちし》が使われています。

まず、「εκ《エク》 ～から」という語があって、万物《ばんぶつ》は、「神から出《い》で、神から発する」のである。

次に、「神によって」とあるのは、「δια《ディア》 ～を通して、～によって」という語ですから、「神を通して、神の働きによって、成る」という意味です。また、「神に帰する」とあるのは、「εις《エイス》 ～の中へ」という語ですから、「神（の中）へと」です。すなわち、「万物は、神から出で、神を通して成り、神の中へと向かっている」という意味です。

これがパウロの思想であり、聖書の思想です。

よく、「聖書の宗教は唯一神教《ゆいいつしんきょう》であり、仏教は汎神論《はんしんろん》である」などと言う人があります。

「汎神論」というのは、万物は神であり、一切《いっさい》は神の表現であるという考え方です。英語ではPantheism《パンセイズム》と言います。たとえば、大きな木があると神木だといって拝《おが》む。山は神の鎮座《ちんざ》する所だと思って尊《とうと》ぶ。そのように神が一切に満ちている、すべてに宿っているという考え方です。

これを西洋キリスト教は受け入れません。「キリスト教は一神論である、神は一つだ」と言って、クリスチャンは頭ごなしに汎神論を攻撃《こうげき》します。

なるほどそうです。けれども、そうでもないですね。旧約聖書を読みましても、新約聖書のこういう所を読みましても、その考え方は、汎神論ではないにしても、万有在神論（Panentheism《パンエンセイズム》）的です。万有在神論とは、「万物が神の中に存在《そんざい》する」という思想です。

元来、聖書の神観では、「世界と万物《ばんぶつ》は、唯一《ゆいいつ》の人格神から発し、あらゆる真実在は神の中にある」と考える立場に立っています。

万有は、すべて神から出て、神に依存《いぞん》し、また神を目的として存在《そんざい》している。一切《いっさい》のものは神の中にあるという意味ですから、ギリシア語でしたら、「παν《パン》 εν《エン》 θεω《セオー》　すべては神の中にある」ということです。すなわち、すべての現象的なものは神の中にあるんです。神から発して、神に保たれ、神へ帰ってゆく。

これは、アブラハム・クックというユダヤ教のラビ（教法師）が非常に強調した思想ですけれども、万有在神論《ろん》ともいうべき聖書の立場です。

こういうパウロの思想を見ると、山も川も、木も石も、人間も犬も猫《ねこ》も、みんな神の中にあって、神から出発し、神を目指し、神に帰してゆく。神は大いなる存在である、ということを言っている。神を離《はな》れて何ものも存在することはできないという表現です。

私たち原始福音の神観というものがあるなら、このような立場に立って神を信じ、知ろうとしております。これを間《ま》違《ちが》ってはなりません。旧約聖書も新約聖書も、その神観は今のキリスト教の神学が言うがごときものではないということです。

パウロはこういうことを論じまして、

「栄光がとこしえに神にあるように、アァメン」と言って、この問題を結んでおります。すべてを神様は導き、神様が支配しておられる。ちっぽけな人間がユダヤ人問題とかいうものを思議《しぎ》すべきでない。神様はもっと深いおぼしめしで一切《いっさい》を司《つかさど》っておられる。

こうして一一章の最後のところを読んでみますと、パウロは詩人ですね。理屈《りくつ》でないです。私たちも小さいながら詩人でありたい。理屈の信仰でない、歌をうたうような信仰、神の愛を歌にして生きるような人生でありたいと思います。

未来を夢みて

前講でお話ししたA・ゴットリーブ博士の手紙に、「自分の名前はAbraham《アブラハム》 Gottlieb《ゴットリーブ》というが、ゴットリーブという名の意味は、『神の愛』ということです」とありました。Gott《ゴット》というドイツ語は「神」を意味し、Liebe《リーベ》といえば「愛」ですね。Gottlieb《ゴットリーブ》(神の愛)、いい名前ですね。

ゴットリーブ博士は、「私の青年時代、ダヴィッド・ベングリオン(イスラエル初代首相)やイツハク・ベンツヴィ(イスラエル第二代大統領)も学生で、皆、理想主義者でした」と言われます。その手紙を見ながら私は思うんです。

お互《たが》い今、何ももたないような、しがない人間です。しかし、理想だけはもちたいと思う。私たちも理想主義者であろうと思う。やがて、五十年経《た》ってみたら、私たちの胸《むね》を焦《こ》がしたところのものが、何であるかということがわかると思うんです。ゴットリーブ博士は、涙《なみだ》ながらに『生命の光』誌《し》を読んでくれたといいますが、その理由がわかります。

私たちは、今は乏《とぼ》しく貧しいアパートの一室住まいで、缶詰《かんづ》めにされたようにして生きている。しかし、お互い失ってならないのは、神の愛と理想です。私たちも大きなアイデアリスト（理想主義者）でありたい、夢みる者でありたいと思います。

若《わか》き日に夢みることはやがて実現するということです。

ドイツの文豪《ぶんごう》・ゲーテがそう言っているじゃないか。

若き日に夢みしところのものは、年老いてますます多く与《あた》えられるものである。

私たちお互いも、目に見えるものは何もなくてもいいです。大きな理想をもつことが大事です。心の中に大きな理想が、大きな夢がありさえすれば、その夢が、ぐんぐん夢の方角に引っ張っていってくれる。未来の夢が私たちを呼《よ》んでくれます。信仰とはそういうことです。過去からの積み上げで何かをしようというのではありません。むしろ未来の呼び声が、私たちを「こうだ、あだ」と言って引っ張ってくれるものです。

私は、自分のことを考えましても、ほんとうにそうだったと思います。

私は幼《おさな》い時に、初めてキリストにお出会いしました。そして教会に行くと、熊本高等工業（現在の熊本大学工学部）の学生たちが、日曜学校の先生をしていました。ぼくも二十歳《はたち》ぐらいになったら、あの学生みたいに日曜学校の先生になろう。そして、神の道を説く者になろう、と憧《あこが》れたことが始まりでした。

だが、自分を思ったら、とても伝道なんてできるものかと思った。しかし神様は、ある事件を通して、ついに私を伝道の道に追《お》い込《こ》んでおしまいになった。追い込まれて二十年、こうして今までやってきました。

神様、あなたのなさることは不思議でした、という一事に尽《つ》きるんです。

初めは小さな夢でした。願ってもかないそうもない苦しい夢でした。しかし今は、ほんとうに楽しい夢に変わりました。もつべきは夢です。もつべきは信仰です。まだ見ぬものを真《まこと》とすることを信仰というからです。

現在、どんなにみじめな乏《とぼ》しい生活をしておっても、生活に負けてはなりません。現実に負けてはなりません。私は胸《むね》を焦《こ》がすような熱い大きな夢を見つづけて、そしてこの地上を終わりたいと思います。

神の憐《あわ》れみが人を救う

イスラエル建国の父・ヘルツェルの抱《いだ》いたような大きな理想を、私たち皆が片棒《かたぼう》かついで、このエクレシアを進めてゆくことがどんなに大事か。

テオドール・ヘルツェル

「私たちは、代々木に集まって、皆でやったなあ」と、五十年経《た》った時に、皆で喜ぶ日があると思います。こういうことは、神の憐れみ、愛というものに支えられはじめると、よくわかる。

兄弟たちよ。そういうわけで、神のあわれみによってあなたがたに勧《すす》める。（一二章一節）

何が私たちを救うかというと、神の愛が、憐れみが、私たちを救うんです。もし神様が憐れまなかったら、信仰はむなしいものです。神の愛が私たちの信仰の基礎《きそ》です。

ここでパウロが、

「神のあわれみによってあなたがたに勧める」と言うときに、いかに彼が神に憐れまれた人であるかということがわかります。多くの人は自力で、自分が力んで信仰しようとしますが、パウロは神に憐《あわ》れまれて、涙《なみだ》ぐましいような喜びをもって語ろうとしておる、ということをご想像ください。

彼は神の御愛に満たされて、「παρακαλω ουν υμας《パラカローウーンヒュマス》　それだから、あなたがたに勧《すす》める」と申しております。「命じる」ではなく、「παρακαλω《パラカロー》　願う、勧める、諭《さと》す」という語です。

古《いにしえ》のモーセは民《たみ》に命じました。しかしパウロは、「命ずる」と言わないで「勧める」と言う。勧告《かんこく》する、アドバイスするという立場をとっている。どうしてかというと、同信の兄弟だからです。旧約の場合、モーセは神の霊に満たされた神の人でした、ですから命じます。

しかし新約は、皆、兄弟姉妹、ひとしくキリストの霊に満たされた者たちでありまして、生命《いのち》が同じですから、お互《たが》い勧めて、「そうですね」といってわかるわけです。何を勧めるかというと、それはこの聖句の続きを読むとわかります。

（一九六八年十一月二十日　①）

＊アブラハム・クック…一八六五～一九三五年。イスラエルが建国する前の、パレスチナ初代首長ラビ。二十世紀における、最も有名で大きな影響力《えいきょうりょく》を与《あた》えたユダヤ教指導者の一人。思想家。宗教的シオニ

ズムを説き、イスラエルの宗教社会と非宗教社会を結ぶ働きをした。主著《しゅちょ》に『聖なる光』がある。

＊ダヴィッド・ベングリオン…一八八六～一九七三年。ポーランドに生まれる。イギリスの委任統治下のパレスチナで、ユダヤ人国家樹立《じゅりつ》のために活躍《かつやく》。一九四八年五月十四日、イスラエルの独立宣言を発する。一九四八～一九五三年、一九五五～一九六三年の二度にわたって、首相兼《しゅしょうけん》国防相を務める。イスラエル独立のカリスマ的指導者であり、象徴的存在《しょうちょうてきそんざい》。

＊イツハク・ベンツヴィ…一八八四～一九六三年。ロシアに生まれる。一九〇七年にパレスチナに移住し、そこで出会ったベングリオンと終生の友となる。一九五二年、イスラエル第二代大統領に選ばれ、その死まで職を全うした。

〔第二七講　ロマ書一二章一、二節〕

1兄弟たちよ。そういうわけで、神のあわれみによってあなたがたに勧《すす》める。あなた
がたのからだを、神に喜ばれる、生きた、聖なる供《そな》え物《もの》としてささげなさい。それが、
あなたがたのなすべき霊的な礼拝《れいはい》である。2あなたがたは、この世と妥協《だきょう》してはならな
い。むしろ、心を新たにすることによって、造りかえられ、何が神の御旨《みむね》であるか、何
が善《ぜん》であって、神に喜ばれ、かつ全きことであるかを、わきまえ知るべきである。

第二七講

中動態の信仰　　ロマ書一二章一、二節

神の御愛に接すると、ほんとうに私たちはものの考え方が違《ちが》ってきます。神の御愛を抜《ぬ》きにして考えるから行《ゆ》き詰《づ》まるんです。神様が憐《あわ》れんでくださるならばと思うと、すべての人生観が変わってきます。

それでパウロは、次のような言葉で一二章を始めています。

> 兄弟たちよ。そういうわけで、神のあわれみによってあなたがたに勧《すす》める。（一二章一節）

ここで使われている「οικτιρμος《オイクティルモス》　憐れみ」というギリシア語は、一一章の終わりに出てくる「ελεος《エレオス》　憐れみ、慈悲《じひ》」とは違う語です。神の同情、情け深さというような、もっと情的な

憐《あわ》れみを意味します。

そのような神の憐れみによって、あなたがたに勧《すす》める。母親が子供《こども》をかわいくてしょうがないように、神様は人間を憐れもう、憐れもうとしておられる。そのことをよく念頭に置いて勧めるよ、と言う。

パウロは、ここから道徳的なことを、ずっと述べています。そうすると、お説教は嫌《いや》だなあと思ったりします。しかし、神様が保護し、助け、憐れんでくださるというならば、そうだなあと考えが違《ちが》ってきますね。神の憐れみをもって勧める、とはそういう意味です。

生きることが信仰

ロマ書の解説などを読むと、一一章まではキリスト教の教理を説いたのであって、一二章から道徳論《どうとくろん》に入るのである、というような言い方をする。それは誤《あやま》りだと思います。ロマ書をずっと読んでみたら、パウロはそういうことを言っていません。まず信仰の論理を説いて、それから実《じっ》践《せん》の問題に触《ふ》れるというのではなく、一つの生命《いのち》の両面を言っているんです。

パウロにおいては、ロマ書の中心問題は、

「信仰による義人は生くべし」(一章一七節)とあるように、「生きる」という問題なんです。生きることが信仰なのであって、生命《いのち》を抜《ぬ》きにして信仰なんかないんです。信仰は教理を信ずることとは違《ちが》うんです。これは、キリスト教の長い間の間違いです。

初代教会においては、信仰は生きることでした。単純《たんじゅん》なことでした。

パウロが、ロマ書一一章で接《つ》ぎ木《き》の話をしているように、ユダヤ人の伝統的な信仰が根であって、その根に接ぎ木したら、野生のオリーブでも立派《りっぱ》に実るんです。

ローマ人は奴隷《どれい》を酷使《こくし》してはばからない残忍《ざんにん》な文明の連中でした。しかし、そのような者たちでも、キリストの福音という、聖書に脈打っている永遠の生命に触《ふ》れると、ほんとうに変わるんです。何が変えるかというと、接ぎ木をした時に、根から込《こ》み上《あ》がってくる養分が変える。そうして、野生のオリーブにも立派な実を実らせる。

聖書は永遠の書であって、聖書を読んでおると、今まで聖書と無縁《むえん》な民《たみ》だった私たち大和《やまと》民族ですけれども、胸《むね》を焦《こ》がすものがあります。

パウロが説くのは、いわゆる道徳ではありません。生きることの実際は何かということを言うのであって、理屈《りくつ》を述べているわけではないんです。

一一章一五節を見ると、

「もしユダヤ人が信仰をもつなら、死人の中からの生命ではないか」とパウロは言っております。

死んだものには生命《いのち》はありません。しかしながら、神様が生命を与《あた》えれば、死んだものの中にも生命を発見できます。信仰は生きることなんです。

生きた供《そな》え物《もの》として献《ささ》げる

パウロは一二章の初めに、

「神のあわれみによってあなたがたに勧《すす》める」と言いましたが、では何を勧めるのか。それが次に出てきます。


あなたがたのからだを、神に喜ばれる、生きた、聖なる供え物としてささげなさい。それが、あなたがたのなすべき霊的な礼拝《れいはい》である。（一二章一節）

「供え物」と訳《やく》された語は、「θυσια《シュシア》 犠牲《ぎせい》、生贄《いけにえ》」というギリシア語です。動物でしたら、羊や山羊《やぎ》、牛を神の祭壇《さいだん》に屠《ほふ》って献げる。それは、死んだ家畜《かちく》、死んだ供え物です。

しかしながら、神に憐《あわ》れまれた人間は、自分の体を神に献げる。死んだような献げ方をするのではなくて、生きた供え物として献げよ、とあります。私たちが自分を神に献げきるということは、神様に喜ばれるように生きて礼拝《れいはい》することをいいます。

「聖なる」というのは、「俗《ぞく》」に対することで、普通のあり方に反して、聖なる供《そな》え物《もの》として献《ささ》げる。この「παριστημι《パリステーミ》　献げる」という動詞《どうし》の時制は、aorist《アオリスト》(不定過去形)で書かれていて、一度きりキッパリ献げるというか、神に献身《けんしん》、提供《ていきょう》することを意味します。

「私はほんとうに悪い奴《やつ》です、悪いことしかせぬこの手、この足、こんな罪の体を献げて何になりましょう」と言う人がいますが、それは非常に誤《あやま》った思想です。人間の体はニュートラルな中性でして、悪でもなければ善《ぜん》でもない。これを悪く用いれば恐《おそ》ろしいことをしでかす道具になります。また、その逆にもなります。人間の体は道具です。何に用いられるかによって聖ともなり、俗ともなる。善なるものともなり、悪ともなるんです。

この体を、聖なる供え物として神に提供せよ。

神様が用い尽《つ》くしたもうときに、私たちは光栄ある生涯《しょうがい》を送ることができます。

いつも思うことです、「神様、どうか私を捨《す》てないでください、用いてください」と。

もし神様から捨てられたら、私はほんとうにみじめな者です。しかし、まだ神様が憐《あわ》れんで用いてくださるからもったいないことだ、というのが偽《いつわ》らぬ私の信仰です。またパウロの信仰、また皆さんの信仰だと思います。私は用い尽くされたいと願うばかりです。

霊的な礼拝《れいはい》とは

明治時代、大学に行く人はめったにいませんでした。ところが、良い筆は筆箱にしまっておくように、大学出の優秀《ゆうしゅう》な人たちが、自分を後生大事に温存《おんぞん》しておく。日頃《ひごろ》、書く時には粗末《そまつ》な筆を使い、いざ良い筆を使おうと思って箱を開けてみると、もうムシがついてその筆は使えない。多くの人が、そういう生き方しかしていない。

それで、救世軍の山室《やまむろ》軍平先生は晩年《ばんねん》に次のように言いました。

「自分は粗末な筆のようにつまらぬ人間だから、この年に至《いた》るまで自分を使って、使って、使い古して、そして死んでゆく。だから自分は幸福だ」と。

私もそうありたいと願います。私は長生きしたくありません。ヨイヨイになりたくありません。使い尽《つ》くした時には、どうぞ早く天に召《め》してください。そして、天上の仕事に用いてください。今朝も、道を歩きながら、そう祈っておるんです。

人間、大事なことは神様に用い尽くされることです。

パウロは言います、「神に自分の体を提供《ていきょう》せよ」と。どうしてか。人間の体に神の霊が働くからです。自分が自分の体を操《あやつ》るのではなくて、神に操られることです。神に喜ばれる生きた聖なる供《そな》え物《もの》として献《ささ》げるんです。

それが、あなたのなすべき霊的な礼拝《れいはい》である。

「λογικην《ロギケーン》 λατρειαν《ラトレイアン》　霊的な礼拝」とありますが、ロギケーンというのは、λογος《ロゴス》（言葉、理性）の変化形で、「理にかなった、合理的な」といったような意味です。また、「霊的な、スピリチュアルな」という意味もあります。英訳《えいやく》聖書では reasonable《リーズナブル》 と訳していますが、「当然な、理にかなった」といった意味でしょう。

「λατρεια《ラトレイア》　礼拝」というのは、「奉仕《ほうし》する、仕える」ことを言います。下男が主人に仕える、また神様にお仕えするという意味です。この奉仕、礼拝ということは、私たちが何か物を献げたり、礼拝に出席したりするということではなくて、日々自分の体を神に献げ、神に喜ばれる聖なる器《うつわ》とすることが大切です。

これが、いちばん信仰生活の基本であるということを、パウロは示しております。

この世の外観にならうな

あなたがたは、この世と妥協《だきょう》してはならない。むしろ、心を新たにすることによって、造りかえられ、何が神の御旨《みむね》であるか、何が善《ぜん》であって、神に喜ばれ、かつ全きことであるか

を、わきまえ知るべきである。　（一二章二節）

「あなたがたは、この世と妥協《だきょう》してはならない」とありますが、「妥協してはならない」というのは訳《やく》が悪い。

原文は、「μη《メー》 συσχηματιζεσθε《シュスケーマティゼスセ》」とあって、「μη《メー》」は「not《ノット》(〜でない、〜するな)」です。「συσχηματιζω《シュスケーマティゾー》」は、「συν《シュン》　〜と共に」と「σχημα《スケーマ》　外の形、流行、外観、習慣」がくっついた語ですから、「この世と外側の形を共にするな。すなわち、この世の風潮《ふうちょう》に迎合《げいごう》するな」という意味です。この世の外観をならうな。

浮《う》き草《くさ》のように、世の流れに流されて、あっちにぶらり、こっちにぶらりと、振《ふ》り回《まわ》されるような人生。外側の真似《まね》ばっかりする生き方。今年はミニスカートが流行だといって、皆ケツまくって歩く。そういう人に、信仰はわかりません。

むしろ、この世に対して抵抗《ていこう》を感ずるのが本当なんです。

私たちは、キリストに贖《あがな》われた人間であるならば、この世の人と違《ちが》っていなければなりません。この世の人の生活に流されている人には、どうしても神様の御心《みこころ》はわかりません。すべての標準がこの世にあるからです。

内なる生命《いのち》が変わると

私たちは、この世と同じであってはいけない。同じではいけないというよりも、むしろ、いつしか同じではなくなるんです。この世と妥協《だきょう》してはならない、ではなくて、妥協しなくなるんです。心を新たにすることによって、造り変えられるんです。

「μεταμορφουμαι《メタモルフォマイ》　造り変えられる」という語の、「μετα《メタ》」はひっくり返ること、「μορφη《モルフェー》」は顔かたち、姿《すがた》のことです。ですから、メタモルフェーというのは、青虫が蝶《ちょう》に変わるように、内側の生命が動きだすと、外側の形や姿が変わってくることを意味します。これは、本質に伴《ともな》って外形が変わってくる場合に使うギリシア語です。生物学でいうところの新品種になるとか、突《とつ》然変異《ぜんへんい》をメタモルフェーと言います。「造りかえられる」と訳《やく》しているけれども、すっかり「変異する」ということです。

「心を新たにすることによって」の「心」は、νους《ヌース》という語ですから、「心」ではなくて、「理性、判断、考え方」です。ヌースを、「ανακαινωσις《アナカイノーシス》　再び新しくすること、一新、革新《かくしん》」する。判断が革新されることによって造り変えられる。造り変えられるとどうなるかというと、何が神の御旨《みむね》であるかをわきまえ知るようになる。

すなわち、造り変えられるまでは、神様の御旨《みむね》がわからない。

しかし、私たちの心の内側が変わると、突然変異《とつぜんへんい》する。そうすると、今までは神の御心なんて考えもしなかった者が、神様の御旨というものがいかに善《ぜん》であって、喜ばしいものであり、全きものであるかということがわかりだすんです。

「神様のなさることは、なんと素晴《すば》らしいでしょう。なんとうれしいことでしょう。なんと完全でしょう。人間の考えなんかちっぽけだなあ、間違《まちが》いだらけだなあ」といってわかりだす。

こうして読んでみると、ここでパウロが言っているのは、神様の御心がわかるためには、二つのことがあるということです。

一つは、この世と妥協《だきょう》しないこと。この世の習慣や流行を追っている人には、神の御心はどうしてもわからない。もう一つは、内側から造り変えられること。造り変えられて、ほんとうにわかるんです。それがなければ、わからない。神に愛され憐《あわ》れまれたら、いつの間にか考えが変わってしまって、この世とは違う生き方をしようというように、自《おの》ずとなるんです。

他力か、自力か

信仰ということについて、「他力の信仰」か「自力の信仰」か、いずれがよいかと質問する人があります。原始福音の信仰は、そのいずれでもなく、また、そのいずれをも含《ふく》んだものともいえます。

日本語や英語では、動詞《どうし》に、能動態(active voice《アクティブ ボイス》)と受動態(passive voice《パッシブ ボイス》)の二つしかありませんが、ギリシア語には中動態(middle voice《ミドル ボイス》)という表現の仕方があります。これは、日本語に訳《やく》しにくい表現です。

たとえば、「私は運ぶ、私は行く」というのは、能動態です。自力で、自分の意志で、動作したのです。それに対して、「私は運ばれた、行かされた」というときに、それは受動態です。自分は無力な病人だが、他力で運ばれたり、命令で行かされた、というような場合に使われます。

ところで、中動態というのは、「自《おの》ずと行かしめられた」ともいうべき表現です。自分は十分に力がないけれども、何か大きな力が自分を押《お》しやるようなときに、いつの間にか知らず知らずに歩いている。あるいは、何かをしてしまうということがあります。

たとえば、私は聖会に行く気はなかったけれども、いつの間にか足が向いていた。歩いて行ったのは自分でしょう。でも、何か不思議な力が自分を運んだというような場合、これを中動態と言います。いわば、自力と他力の共同動作です。これは日本語にはない表現ですから、私たちにはピンときませんけれども、お互《たが》い宗教経験としてはよく知っています。

普通の人は、自力の信仰、能動態でゆく。一方、本願寺流の信仰は絶対他力であって、他力だったら受動態です。何でも仏様のおかげと言う。

ところがパウロは、中動態の信仰を訴《うった》えている。

このことは、私たちにとっても大事なことです。

自力ではとてもできない。他力を待って受け身ばかりでやっておる間も、またこれ何もできません。そうではなくて、「歩いたのは自分です。それは、歩かしめるような力が加わったからなんです」という時に、それが聖霊経験です。

そのためにどうしたらいいかというと、パウロは「自分を生きた供《そな》え物《もの》として神に献《ささ》げよ」と言っている。死んだ供え物は受け身でしょう。生きた供え物、それに力を加えて用いたもうのは神様です。私たちは、中動態の生活を繰《く》り広《ひろ》げねばならぬ、ということです。

キリスト族の生き方

このロマ書一二章二節には、この世と「妥協《だきょう》するな μη συσχηματιζεσθε《メーシュスケーマティゼスセ》(模倣《もほう》するな)」という動詞《どうし》がありますが、これは今お話しした中動態で書かれています。

神に自分の体を献げきると、この世の流行なんか自《おの》ずと模倣しなくなる。

それは、自分で力んで「この世に妥協《だきょう》しないんだ」と言うのではない。妥協しないようにせしめられるんです。妥協しないのは自分ですよ。しかしながら、自分の力だけで生きたら、やっぱり妥協してしまいます。神の愛というか、聖霊に満たされるときは妥協しないけれど、聖霊が希《き》薄《はく》になるとついつい妥協するということは、私たちのよく経験するところです。

また自分の精神を更新《こうしん》すると、自《おの》ずと変貌《へんぼう》してくる。自力では、とても変貌できるものではありません。反対に、他力に依存《いぞん》だけしていては、自分に力がない。神の絶対他力（聖霊の力）と、自己《じこ》の努力が一つに化合して生きる生き方に、原始福音の生活があるといえます。

聖霊の加持《かじ》なしには歩けない人間――これがキリスト族です。

自然法爾《じねんほうに》ということ

自分が変わると言ったって、蟬《せみ》が自力で殻《から》を脱《ぬ》いでメタモルフェー（変貌）はできません。やっぱりあるシーズン（時季）というか、ある力が込み上《あ》がってくるからできるんです。たとえば妊婦《にんぷ》が、よし明日の午前三時三〇分に産んでやると言ったって、胎児《たいじ》は出てはきません。何か大きな力が作用しなければだめです。そしてその時に、妊婦が産もうという意志がなければ赤ちゃんは生まれてきません。お産の時は、これは中動態です。

それで、私たちの信仰問題として、私たちが何かを行なうという時に、自力だけでは大したことはやれません。また、「他力本願、他力本願」と言っておる人の信仰は病的です。自力でもない、他力でもない信仰、これがいちばん健全な信仰です。

こういうことは、ギリシア語で聖書を読んでみたら、よくわかるんです。中動態という、この信仰が大事です。これを強調しましたのが弘法大師《こうぼう》です。彼はそれを「自然法爾《じねんほうに》」と呼《よ》びました。自《おの》ずと法のしからしめるようになる、ということです。

自分が新しく心を入《い》れ替《か》えて変わろうと思ったって、変われるものじゃない。聖霊の力によって変えしめられる。自分も変わることがうれしいから、「神様、もっと変えてください、もっと変えてください」と言って、なお祈らされます。

また、この世にならうなと言っても、人間ですから、ならうまいと思っても、必ずしもできるものでありません。それが聖霊に満たされて、コンバージョン(回心)して心が入れ替わって新しくなると、自ずともうこの世の真似《まね》をしたくなくなるんです。そして、どんどん自分が内側から外側から変わってゆくことを知るんです。

「神様、私はあの時、あなたの力が加わってこんなことができました」と言う時に、感謝はいや増します。だからパウロは、「我は神と共に働く同労者である」と言って、神と共に苦しみ、共に働きました。

私たちの信仰もどうか、自力でない、他力でない、もう一つの大いなる神の憐《あわ》れみが、力が加わって、事をなすところのものであろうと願います。

（一九六八年十一月二十日　②）

＊山室軍平…一八七二〜一九四〇年。日本救世軍の創立者《そうりつしゃ》。岡山県に生まれる。キリスト教の街頭伝道に触《ふ》れて入信。廃娼《はいしょう》運動、禁酒運動、職業紹介《しょうかい》などを通して、社会福祉《ふくし》の向上に大きな貢献《こうけん》をした。日本の代表的な大衆《たいしゅう》伝道者の一人。主著《しゅちょ》に『平民の福音』がある。

＊法爾《ほうに》…法そのままであること。自然とそうなること。

〔第二八講　ロマ書一二章三〜二一節〕

3わたしは、自分に与《あた》えられた恵みによって、あなたがたひとりびとりに言う。思う
べき限度を越《こ》えて思いあがることなく、むしろ、神が各自に分け与えられた信仰の量り
にしたがって、慎《つつし》み深く思うべきである。4なぜなら、一つのからだにたくさんの肢体《したい》
があるが、それらの肢体がみな同じ働きをしてはいないように、5わたしたちも数は多
いが、キリストにあって一つのからだであり、また各自は互《たが》いに肢体だからである。
6このように、わたしたちは与えられた恵みによって、それぞれ異《こと》なった賜物《たまもの》を持っ
ているので、もし、それが預言であれば、信仰の程度に応じて預言をし、7奉仕《ほうし》であれば
奉仕をし、また教える者であれば教え、8勧《すす》めをする者であれば勧め、寄附《きふ》する者は惜《お》
しみなく寄附し、指導する者は熱心に指導し、慈善《じぜん》をする者は快く慈善をすべきである。
9愛には偽《いつわ》りがあってはならない。悪は憎《にく》み退け、善《ぜん》には親しみ結び、10兄弟の愛を
もって互いにいつくしみ、進んで互いに尊敬《そんけい》し合いなさい。11熱心で、うむことなく、
霊に燃え、主に仕え、12望みをいだいて喜び、患難《かんなん》に耐《た》え、常に祈りなさい。13貧しい
聖徒を助け、努めて旅人をもてなしなさい。14あなたがたを迫害《はくがい》する者を祝福しなさい。

祝福して、のろってはならない。15喜ぶ者と共に喜び、泣く者と共に泣きなさい。
16互《たが》いに思うことをひとつにし、高ぶった思いをいだかず、かえって低い者たちと交
わるがよい。自分が知者だと思いあがってはならない。17だれに対しても悪をもって悪
に報《むく》いず、すべての人に対して善《ぜん》を図《はか》りなさい。18あなたがたは、できる限りすべての
人と平和に過ごしなさい。19愛する者たちよ。自分で復讐《ふくしゅう》をしないで、むしろ、神の怒《いか》
りに任せなさい。なぜなら、「主が言われる。復讐はわたしのすることである。わたし
自身が報復する」と書いてあるからである。20むしろ、「もしあなたの敵が飢《う》えるなら、
彼に食わせ、かわくなら、彼に飲ませなさい。そうすることによって、あなたは彼の頭
に燃えさかる炭火を積むことになるのである」。21悪に負けてはいけない。かえって、
善をもって悪に勝ちなさい。

第二八講

愛には偽《いつわ》りがない　ロマ書一二章三～二一節

わたしは、自分に与《あた》えられた恵みによって、あなたがたひとりびとりに言う。思うべき限度を越《こ》えて思いあがることなく、むしろ、神が各自に分け与えられた信仰の量りにしたがって、慎《つつし》み深く思うべきである。（一二章三節）

もう十年も前でしょうか、私はロマ書を読みながら、この聖句は素晴《すば》らしいと思って、ここは自分の信仰の励《はげ》ましになった箇所《かしょ》でした。

パウロが言おうとすることは、思うべきことを越えて思い上がるな、意識過剰《かじょう》になるなということです。「むしろ、あなたがたは思え」、何を思うかというと、「神が各自に分け与えられた信仰の量りにしたがって」とあります。ギリシア語から直訳《ちょくやく》すると、

「あなたがたは慎《つつし》み深く思え、神は、信仰の量りにしたがって各自に分《わ》け与《あた》えられたことを」となります。

信仰の量りを拡大《かくだい》せよ

昨年、私は「信仰の量りを拡大せよ」というお話をしました。それは、ロマ書のこの「信仰の量り」という言葉を重要に思ったからです。自分はこういう考えだ、自分はこうなんだといって意識過剰《かじょう》になる前に、もし自分に素晴《すば》らしいことがあるならば、それは神様が信仰の量りに従《したが》って分け与えたものであったということです。このことは、私たち信仰を心がけておる者にとっては、とても励《はげ》ましになる聖句だと思います。

今日は、長崎から先ほど帰ってきました。長崎では、宮城《みやぎ》信吉君が私に会うなり、「先生、今年はほんとうに感謝でした。私の人生で最高の年でした」と言いました。あの人は、めったにそういうことを言わんのです。彼がそう言うのには、一つはイスラエル巡礼《じゅんれい》に行けたことが非常にうれしかったんでしょう。しかし、ただそれだけではない。信仰の量りを大きくすることによって分け与えられたものが、いかに大きかったかということがわかるようになったから、彼はそう言ってくれたんだと思います。

年末を迎《むか》えて、「今年はほんとうに感謝でした」と多くの人たちが言われるのを聞くにつけても、私はうれしくてたまりません。しみじみ、有《あ》り難《がた》いなあと思います。

それで、私たちにとって大事なことは、信仰の量りを大きくするということです。その信仰の量りに従《したが》って、神様は分《わ》け与《あた》えたもう。小さな信仰の人には小さくしかお与えにならない。それは、信仰が小さければ、大きく与えられても処理《しょり》ができないからです。

大事なことは信仰です。信仰の量りを大きくすることです。

しかし、自分の力で信仰の量りは大きくなりません。神を大きく信じているから、信仰の量りが大きくなるということです。神を一〇〇パーセント、一二〇パーセント信じておればこそ、大きな希望というものを描《えが》いて、大きな活動をしてゆくことができます。

教理的な信仰の場合は、こういうことが言えない。信仰の量りを大きくすると言っても、ただ教理の知識を広げることだけになります。だが、私たちにおいてはそうでない。思い切って信仰の枡目《ますめ》を増やすことによって、神様が分け与えたもう度合いや、用いたもう度合いが違《ちが》ってくるということです。

その意味を、パウロはさらに続けます。

愛は技巧的《ぎこうてき》でない

なぜなら、一つのからだにたくさんの肢体《したい》があるが、それらの肢体がみな同じ働きをしてはいないように、わたしたちも数は多いが、キリストにあって一つのからだであり、また各自は互《たが》いに肢体だからである。このように、わたしたちは与《あた》えられた恵みによって、それぞれ異《こと》なった賜物《たまもの》を持っているので、もし、それが預言であれば、信仰の程度（αναλογια《アナロギア》分量、比例）に応じて預言をし、奉仕《ほうし》であれば奉仕をし、また教える者であれば教え、勧《すす》めをする者であれば勧め、寄附《きふ》する者は惜《お》しみなく寄附し（「寄附する」という語はない。「惜しみなくあれ」）、指導する者は熱心に（εν σπουδη《エン スプーデー》 忠実《ちゅうじつ》に）指導し、慈善《じぜん》をする者は快く（εν《エン》 ιλαροτητι《ヒラロテーティ》 無条件で、気持ちよく、喜んで）慈善をすべきである（慈善をなせ）。

（一二章四～八節）

このように述べた後、パウロは次に大事なことを言っています。

愛には偽《いつわ》りがあってはならない。

（一二章九節）

この聖句の原文は、「η αγαπη《ヘー アガペー》 ανυποκριτος《アニュポクリトス》」とわずか二語です。最初に「η αγαπη《ヘー アガペー》」とあって、愛(アガペー)という語に冠詞《かんし》(ヘー)がついていますから「愛というもの」ですね。さらに「ανυποκριτος《アニュポクリトス》」とありますが、これは「α《ア》」という打消の語に、「υποκριτος《ヒュポクリトス》」偽善的《ぎぜんてき》な、作為的《さくいてき》な、芝居《しばい》がかった」という語がくっついています。

すなわち、「愛は芝居をしない、愛は芝居がかるものでない」というか、「愛は技巧的《ぎこうてき》でない」と訳《やく》したらもっといいでしょうか。「愛には偽《いつわ》りがあってはならない」と日本語に訳してありますが、そうではありません。「愛はアニュポクリトスだ」と言う。

芝居というものは、演じている人間の中味と外が違《ちが》います。役者は貧しいくせに王様の真似《まね》したりする。そこに裏表《うらおもて》があります。だが、本当の愛は裏表がない。あるいは、芝居がかっていないというんだから、「愛は演技をしない」と訳しましょうか。皆さんが適当にその意味を汲《く》まれたらいいです。

最近の雑誌《ざっし》などを見ると、皆が愛の技巧をやる。男女間の愛情についても、ただ技巧です。あるいは、義理で人を愛する、見せかけだけの愛。そして人を騙《だま》すための愛。そういうことが愛の名において行なわれている。しかし、聖書の教える愛は全然技巧的でない。ありのまま、そのままの愛を伝えております。これは、私たちの幕屋の特徴《とくちょう》だと思います。

熱い愛と素朴《そぼく》な信仰

熊本にある私の墓地を開放しまして、幕屋の霊廟《れいびょう》といいますか、納骨堂《のうこつどう》を造りました。私が、「天の族ここに眠《ねむ》る」と書きましたが、彫刻《ちょうこく》した人のおかげで大変上手にできました。昨日はその除幕式《じょまくしき》が行なわれました。

その場に、かつて熊本で信仰を学んでおった人たちが大勢来ていました。皆さんが、「昔は素朴で、ほんとうによかった」ということを口々に言います。

初期の熊本幕屋には、熱い愛と信仰がたぎっておった。中野静先生でも、那須《なす》純哉《じゅんや》君でも、立派《りっぱ》な生涯《しょうがい》を遂《と》げて亡《な》くなってゆかれた。あの体の弱かった川谷良郎君夫婦も、何はなくとも素朴であった。皆、愛と信仰に喜んで生きておった。林田茂《しげ》美君が、「自分は信仰こそ捨《す》ててはいないけれども、いつの間にか、あの熱い心を失って冷えていた。だが、ここに来て昔のことを思い出す」と泣きながら感話していなさいました。

もう十五、六年前のことです、その頃《ころ》は各地から道を求めて次々と熊本に来られました。道を求めて来られるというよりも、どこにも救われようのなかった人たちが来ていました。その時のことを思い出すと、皆、素朴でした。偽《いつわ》りがありませんでした。今でも、「あの人は幕屋的だなあ」という時に、その人は熱い愛と信仰と素朴《そぼく》さ、無邪気《むじゃき》さというものをもっています。

愛には偽《いつわ》りがない。これは大切な言葉だと思います。「偽りがあってはならない」ではありません。偽りがないんです。裏《うら》も表も同じというか、素朴なものだということを言っているんです。それが表面と内面が技巧的《ぎこうてき》に違《ちが》うことをされると、何だか私たちは嫌《いや》な感じがする。しかし、こうやって幕屋的生活をやっているうちに、何かが一つ似てくるというのは、愛は技巧をしない、ありのままだということです。

熊本には、いろいろな人たちが集まってきておりました。私は、その人たちがどうやって救われたかということをよく知っています。一人ひとりに、「ああ、あの時こうだったじゃないか」と何でも言うから、もう皆が冷《ひ》や汗《あせ》を出しますね。たとえば、新納《にいの》敏生《としお》君が熊本霊苑《れいえん》のお墓を設計して造りました。「新納君、ほんとうにありがとう」。この新納君が、「嫁《よめ》さんを世話してください」と言った時に、私は、「それじゃ、丸野さんの嬢《じょう》ちゃんを世話しよう」と言いました。そこまではよかったが、「妹のほうを嫁に下さい」と君が言った時には、私は困《こま》ったなあ。その妹というのが、ほらS君、君の今の奥さんだ(笑い)。

だが、そういうような開けっ広げなことを言いましても、誰《だれ》も躓《つまず》かない。冷《ひ》や汗《あせ》は出ますよ、いっぱいね(笑い)。次に江島毅《たけし》君の話をしましょうかね(大笑い)。皆が冷や汗を出すけれども、それで躓いたりしない。何を言っても、愛があるときに躓きません、素朴《そぼく》ですからね。どうせお互《たが》い脛《すね》に傷《きず》がある者同士ですから、偽善《ぎぜん》をしないんです。誰でも五十歩百歩、同じですから。これは幕屋の愛の特徴《とくちょう》だと思う。

そうやって昔語りをしますと、皆、失敗だらけの中から救われて、神の恵みに浴していると思うと、後は皆が感謝で泣き合うくらいにうれしかった。

有機的な一体関係

愛は偽善をしない。偽善という言葉が悪いですね。どう訳《やく》したらいいでしょうか。原文は日本語訳のように、「偽《いつわ》りがあってはならない」とお説教調には書いてない。そうじゃない。愛というものは技巧《ぎこう》がないんです。技巧がある愛は本当の愛ではない、と言っているだけです。

皆が芝居《しばい》がからずに、それぞれ分担《ぶんたん》を尽《つ》くす、そこに神の幕屋がある。

神様は、各々《おのおの》の信仰の量りに従《したが》って分《わ》け与《あた》えてくださる。分け与えるというのは、部署《ぶしょ》を分け与えるという意味か、または力を与えたもうという意味か、そこはわかりません。ただ信仰の量りに従《したが》って分《わ》け与《あた》えたもうものである。

「なぜなら、一つのからだにたくさんの肢体《したい》がある……」(一二章四節)と言っておりますから、部署《ぶしょ》を分け与えられるという意味でしょうか。

もし、お互《たが》いの愛と協力というものに偽《いつわ》りがあったりしますと、有機的な一体関係というものは崩《くず》れてきます。あるところで偽善《ぎぜん》が行なわれますと、全体に響《ひび》いてくるんです。それで、この言葉が非常に重要になります。

私たちは、各地で大なり小なり幕屋を張って信仰生活をしております。その場合に、中心と部分があるように思われますが、そうではない。各部分に何が中心的にたぎっているかということが大事です。それは、生命《いのち》です。キリストの霊、キリストの生命です。

目的と手段《しゅだん》

私たちが生きているということは、一つの有機体として生きている。その時に血液が通い、お互いの神経が感応し合っております。ところが、どこかに偽りがありましたら、もう血が通わなくなります。すると、病気になり、やがて死んでしまいます。

たとえば、耳は音を聞きますが、聞くということが目的ではありません。目は見ますが、見るということが目的ではありません。目が見てくれるから、全体が目を手段《しゅだん》にして目的を達するんです。もし耳がわがままをして、耳は耳だけのために存在《そんざい》すると言ったら、全体がどうなるでしょう。また、それができるものではありません。

耳は音を聞いて脳《のう》に伝えます。脳は、「ああ、耳からこういう情報が入ってきた。目からこういう光景が映《うつ》ってきた」と言って、判断します。脳は自分で何かやろうと思いましても、自分で見ることはできません。盲目《もうもく》になりましたら、どんなに優《すぐ》れた脳であっても見ることはできません。耳がつんぼになりましたら、音は脳に響《ひび》きません。

そのように、有機体というものは各部分が手段であり、その手段を目的にして、聞こうと思うときには、「おい、耳よ」といって、耳に訴《うった》えなければ聞くことができないんです。

パウロが言おうとしているところは、そういう意味です。

同様に、幕屋というものは、お互《たが》いが助け合うんじゃないんです。その人を手段にしなければ他《ほか》が何もできなくなるんです。このような有機的一体関係を打ち立てることが、非常に大切です。たとえば、クリスマスの打ち合わせがあります。それぞれ皆を喜ばせるためにクリスマスをやろうとします。ところが、自分たちが一等賞を取るためにやろうというんでしたら、自分たちの出し物が目的になります。それでは有機的な一体感を破《は》壊《かい》します。

だが、「皆が喜んでくださるだろう、自分のおかしなおどけた演技も皆を喜ばせることができるだろう」というときに、喜びは人々にあるんです。自分は目的でなくなる、手段《しゅだん》になります。また全体がそうやって、ああ面白《おもしろ》かった、ああ楽しかったと言い合うときに、自分も皆のために用いられてよかったと思う。私たちはこういう関係を打ち立てることが大事です。

一つの体なるエクレシア

数日前、私はT君を叱《しか》りました。それは、彼が、

「先生がそんなにしたって、皆は感謝しませんよ」と言いますから、

「なに？　感謝しない？　ぼくは人から感謝されるために生きていない。こうしたら皆さんが喜びなさるだろう、とだけしかぼくは思わない。感謝されて、自分が喜ぶためにはしません」とやかましく言いましたが、T君は私の言うことがわからない。

「いや、喜ぶも感謝も同じじゃないですか？」

「そうじゃない。皆が喜んでくだされば、ぼくは満足しておるんであって、それが跳《は》ね返《かえ》って感謝の表現になるとか、そんなことは思いもしない。君はぼくの心を知らん」

「いや、私が言うんじゃなくて、皆さんがそう言われます」

「結構。ぼくは人から感謝されたいと思わない。感謝は神様にしてくれ」

T君がすぐ横におるところで、こういう話をするのは悪いけれども、しかしT君は、私がこう言ってもあんまり怒《おこ》らんですね。それは私とは有機的一体関係ができておるんです。そんな場合に、私は偽《いつわ》りを言わないんです。その時に感じた、そのままを言うんです。

エクレシアというものは、そのように各人が全体のための手段《しゅだん》となる。全体は、それぞれを用いて、大きな目的を達成してゆくということです。ああ、こんな場合はあの人を活用しよう、あの人が動いてくださったら全体が益する。箱根聖会でもやるというときに、杉田《すぎた》幸二さんが動いてくださって、皆がどんなに助かったか。杉田さんを手段にして、皆が恵まれました。

それで、一二章四、五節にありましたように、

「なぜなら、一つのからだにたくさんの肢体《したい》があるが、それらの肢体がみな同じ働きをしてはいないように、わたしたちも数は多いが、キリストにあって一つのからだである」ということです。皆が有機的関連をもって生きておるんです。

私たちお互《たが》いに、キリストの生命《いのち》が流れている間は有機的一体ですけれども、体に生命が流れなければ有機的一体ということができなくなります。ライプニッツという哲学者《てつがくしゃ》が次のように言っております、

「有機体とは、各部分が他の手段《しゅだん》であると同時に、他の目的になるものである」と。これは立派《りっぱ》な定義だと思います。

希望に喜べ！

悪は憎《にく》み退け、善《ぜん》には親しみ結び、兄弟の愛をもって互《たが》いにいつくしみ、進んで互いに尊《そん》敬《けい》し合いなさい。

（一二章九、一〇節）

「親しみ結び」は、「κολλωμαι《コローマイ》 膠着《こうちゃく》する、くっつく、固く結びつく」という語です。「善」にくっついて離《はな》れないということですね。「進んで互いに尊敬し合いなさい」という箇《か》所《しょ》の原文は、「互いに尊敬を先にせよ、進めよ」で、「互いに尊敬を先立てよ」というのが直訳《ちょくやく》です。

熱心で、うむことなく、霊に燃え、主に仕え、望みをいだいて喜び、患難《かんなん》に耐《た》え、常に祈りなさい。

（一二章一一、一二節）

一一節を直訳すると、「熱心で、うむことなくあれ。霊に燃えよ、主に仕えよ」です。

霊に燃えなければ、主に仕えることはできない、という意味です。

一二節に、「望みをいだいて喜び」とありますが、原文は、「望みに喜び」です。希望の中に喜びがある。希望するだけで、ウワーッとうれしいと思うんです。どうか、来年を希望して喜んでください。希望するだけでうれしい、必ずそうなるなあと思う。希望がないと喜びが湧《わ》きません。希望に喜べ！

学生運動の精神的支柱・マルクーゼ

二カ月前の聖地巡礼《じゅんれい》の途次《とじ》、アメリカのバークレーで、ゴットリーブ博士と出会った時のことでした（第二五講参照）。博士の息子《むすこ》さんは、サンフランシスコ音楽院のピアノ教授だそうですが、ヒッピー族の思想的指導者で、今、インドに行っているといいます。

その話をしながら、ゴットリーブ博士が、

「現代文明は嫌《いや》だ、資本主義、共産主義は嫌だと言って、ただ抵抗《ていこう》するだけでは、何も創造的《そうぞうてき》なものは生まれてこない。しかし、英文版の『生命の光』誌《し》を読んで、私は感ずるところがあった。私は、これからはあなたと同じように神を信ずる」と言われまして、私は大変うれしいでした。

その時、さらに博士が、

「サンディエゴにいるマルクーゼに会いに行こう」と言います。

ヘルベルト・マルクーゼは、アメリカの学生運動の精神的支柱とされる哲学者《てつがくしゃ》ですね。

「マルクーゼは、あれではいけない。あなたの『生命の光』誌《し》を読まなければいけない。彼はあなたに会ったら、きっと新しい突破《とっぱ》をするだろう」と、しきりに言われるんです。

しかし、私は身《み》の程《ほど》を知っていますから、まさかそんなことはなかろうと思いました。それよりも、英語で話すことがあまりできませんから遠慮《えんりょ》しましたが、今になって考えてみると、惜《お》しいことをしたなと思います。会っておけばよかった。

私は、今の全学連の学生たちによる大学騒動《そうどう》を見ながら、あのバカ野郎たちが愚《おろ》かなことをやっているくらいに思って、ばかにしておった。そのうち騒動も片《かた》づくと思ったんです。しかし、これはまだまだ続きそうですね。

マルクーゼの理論《りろん》

学生運動が日本でもこんなに大騒動になりだすと、私もこの問題は重大であると思いはじめました。世界の学生運動に最も重大な思想的影響《えいきょう》を与《あた》えたのが、このマルクーゼです。マルクーゼは、学生たちから教祖のように奉《たてまつ》られている。彼らがマルクーゼを担《かつ》ぐのは、「現代の文明に反《はん》抗《こう》するのは当然だ。自由と幸福を欲《ほっ》するのは、人間の固有の権利《けんり》である」と言って、学生運動に対する哲学的《てつがくてき》な理論《りろん》づけを彼がしているからです。

人間はなぜ幸福を求めるか。なぜ自由でありたいか。

もし人間が自由を知らなかったら、自由を求めません。幸福を知らなければ、幸福を求めない。猫《ねこ》は小判を見ましても欲《ほ》しがりません。しかし人間は、黄金があったら奪《うば》い合《あ》ってでも取ろうとします。それは金《きん》の値打《ねう》ちを知っているからです。

人間は幸福や自由をすでに知っておったから、欲している。それを、どこで知ったか。

マルクーゼに言わせれば、母の胎内《たいない》におった時に人間はいちばん安定していて、最も幸福だった。昔、エデンの園《その》で楽に暮らして自由な時代があった。それを、人間の魂が知っている。祖先の遺伝子《いでんし》を通して知っている。

それで、もう一度、その自由を欲するのだ。ゲバ棒《ぼう》を振《ふ》るってでも自由に、幸福になりたい。これは抑圧《よくあつ》しても抑圧しても、しきれるものではない。この快楽の要求はいよいよ熾烈《しれつ》になり、本能的要求というものが基本的権利にまでなりそうな時代です。

それで、人間はせっかく娑婆《しゃば》に出てきても、この世の空気の中で生きるのはたまらんといって、地上で生きることを嫌《きら》う。もう一度、母の胎内に帰りたい。その時のほうが幸福だ。すなわち死を求める。それは仏教的にいうなら涅槃《ねはん》思想です。涅槃の静かな喜びに帰りたい——。

これがマルクーゼの理論《りろん》です。ヒッピー族たちに影響《えいきょう》を与《あた》えている思想です。

しかしマルクーゼは、宗教を十分にもっていないんですから、せいぜい遺伝子《いでんし》の中に残る、過去の人類が幸福だった時を追憶《ついおく》するとか、あるいは生《う》まれ出《い》ずる以前の母の胎内《たいない》にあった時を追《つい》慕《ぼ》する、という程度のものです。しかし、母の胎内や遺伝子に残る過去にさかのぼって解決がつくか。本当の解決は、もっと宗教的なことだと思います。

聖書には、

「信仰とは、望むところを確信し、まだ見ぬものを真《まこと》とすることである」（ヘブル書一一章一節）という、信仰についての有名な定義があります。

聖書で言う信仰は、今の教会で言う教理の信仰ではないんです。信仰とは、希望されているところのものを確信し、まだ見ぬものをついに実現、実証してみせることをいうんです。人間が、生活で実際に生きて経験することが信仰なんです。

そのような信仰の場合には、希望するだけでも喜びが湧《わ》きますよ。希望するのはなぜかというと、追憶があるからです。良き過去の追体験として希望するんです。それが全然ない人には、何を言っても猫《ねこ》に小判です。

初代教会の生きた姿《すがた》

それで、一二章一二節に、

「希望に喜ぶ」とありますが、希望と信仰は、聖書では切《き》り離《はな》すことができないものなんです。どうぞ、私たちは来年への希望を、いや来年の希望じゃない、未生以前から神の懐《ふところ》にあった時に知っておった希望を、もう一度、希望することとです。

来年こそは、この短い一生における大きな実りの年にしとうございます。

希望に喜ぶ。これはいい言葉ですね。希望の中に喜びがあるんです。

パウロはこうして、「霊に燃えよ」「主に仕えよ」「希望に喜べよ」と、素晴《すば》らしいことを次々に言っています。もう水晶《すいしょう》をちりばめたように、ひと言葉、ひと言葉、光っています。よほどに偉大《いだい》な人だったということがわかります。

「ああ、私はパウロがわかりました」なんて言う人があるけれども、とてもわかるものではない。どれだけ学んでも学び尽《つ》くせないものがあります。

そして、「患難《かんなん》に耐《た》え、常に祈りなさい」と結んでいる。「常に祈りなさい」ではなくて、原文は、「祈りを絶えず続けよ」です。

貧しい聖徒を助け、努めて旅人をもてなしなさい。あなたがたを迫害《はくがい》する者を祝福しなさい。祝福して、のろってはならない。

（一二章一三、一四節）

聖徒というのは、この世から聖別されている人、聖霊の人の意味です。ここではクリスチャンという意味でしょう。その聖徒の欠乏《けつぼう》を共に分かち、努めて旅人をもてなす。「努めて旅人をもてなす」ではなくて、ホスピタリティー、歓待《かんたい》する、客人をもてなすことをいうんです。旅人だけとは限りません。客人をもてなすことに尽《つ》くしなさい、ということですね。当時は乏《とぼ》しい者たちばっかりでした。しかしながら、初代教会の人たちが客人をもてなすことについては、精いっぱいした、ということがわかります。

このたび、イスラエルに行って、向こうの皆さんが感謝されたことは、「幕屋に触《ふ》れてみたら、もう精いっぱい歓待してくださる。どうして見知らぬユダヤ人に対して、こんなに温かくされるのか。世界じゅうにこういうグループはない」と言って、新聞にもたくさん書いてあります。

それは見栄《みえ》だ、派手《はで》なやり方だ、と非難《ひなん》する人があるかもしれませんけれども、私はそう思わないんです。私たちは真心からしているのであって、これは初代教会における、一つの特質なんです。

愛餐《あいさん》を共にしつつ心通う

「客人をもてなす」というのは、多くの場合、食事を共にしてもてなすことです。どうも、手島先生のところでは、しばしば会食がある。あんなのは信仰的ではないんじゃないか、という非難《ひなん》があるそうですけれども、私はそう思いません。私は精いっぱいすべきだと思っている。お互《たが》い飯食うというのは、飯だけでないんです。粗末《そまつ》な弁当だけれども、一緒《いっしょ》に食べながら心が通じるんです。

それに対して、「信仰は食べることでない、純《じゅん》信仰でいいんだ」と言うと、言葉だけは美しく聞こえます。しかし、それは人間を知らない人の意見です。私は人間を知っているつもりです。人間は血も涙《なみだ》もあり、また食べ物も入る器《うつわ》なんです。

人間は、理屈《りくつ》だけ、お祈りだけしして、信仰が続いてゆくものではないと思います。ここの集会は人数が多いですから、しばしば一緒に会食するということができないのが残念です。二十人、三十人ぐらいの集会でしたら、もっと交わりを深めてゆくことができます。それを取《と》り除《のぞ》いた信仰などというものは、殺風景な灰《はい》を嚙《か》むようなものですよ、皆さん。

それで、「旅人を」じゃない、「客人をもてなせ」とあります。こういうことが、なぜわざわざ書かれるか。これは美徳ではありません。初代教会の人たちは、人間同士、お客を迎《むか》え合《あ》う喜びに生きておったんです。また私たちもそうすべきです。どうぞ皆さん、今度のクリスマスは客人をもてなしますから、またもてなしてください。こういうことを、お互《たが》いが意識すると、もっとよいと思います。

人は「純《じゅん》信仰」と言って、何かたまねぎの皮をむいて、むいて、最後に何も残らんようなことを信仰だと思うけれども、本当の信仰は違《ちが》います。客人をもてなすことは、食事を共にすることです。それだけに止《とど》まりません、宿を提供《ていきょう》し、お互い狭《せま》い所でも、開放し合って過ごすことが大切だと思います。お客を接待するのに、精いっぱいやれということです。

喜ぶ者と共に喜び、泣く者と共に泣きなさい。互いに思うことをひとつにし、高ぶった思いをいだかず、かえって低い者たちと交わるがよい。自分が知者だと思いあがってはならない。

（一二章一五、一六節）

ここに、「低い者たちと交わるがよい」とありますが、これは「ταπεινοις《タペイノイス》　低い者たちに、

συναπαγομενοι《シュナパゴメノイ》　順応する、共に運び去られる」という語です。低い者たちの仲間になるといいますか、低い者たちのところに下がる、交わるという意味です。「自分が知者だと思いあがってはならない」。知者というよりも、思索者《しさくしゃ》といいますか、「私は哲学《てつがく》を少しやっていまして」といったように、思い上がったりするなかれ。

善《ぜん》において悪に勝て

だれに対しても悪をもって悪に報《むく》いず、すべての人に対して善を図《はか》りなさい。あなたがたは、できる限りすべての人と平和に過ごしなさい。愛する者たちよ。自分で復讐《ふくしゅう》をしないで、むしろ、神の怒《いか》りに任せなさい。なぜなら、「主が言われる。復讐はわたしのすることである。わたし自身が報復する」と書いてあるからである。

（一二章一七〜一九節）

私たちは、どうしても共に平和に過ごせない人があります。ここでの伝道シンポジウムの時、山崎十郎先生が「憎《にく》らしい者に対しては、どうやって解決したらいいですか」と言われましたが、ここに「できる限り」と書いてあるから（笑い）、救われるじゃないですか、ハハハ……。

むしろ、「もしあなたの敵が飢《う》えるなら、彼に食わせ、かわくなら、彼に飲ませなさい。そうすることによって、あなたは彼の頭に燃えさかる炭火を積むことになるのである」。悪に負けてはいけない。かえって、善《ぜん》をもって悪に勝ちなさい。（一二章二〇、二一節）

もし、私たちの頭に炭火の火がついて、熱くなったら、悔《く》い改《あらた》めようではないですか。

「νικα《ニカ》 εν τω《エントー》 αγαθω《アガソー》 το《ト》 κακον《カコン》　善において、悪に勝て」、これはいい言葉ですね。

「νικα《ニカ》　勝て、εν τω《エントー》 αγαθω《アガソー》　善において」

（一九六八年十二月四日）

＊ゴットフリート・ライプニッツ…一六四六～一七一六年。ドイツの哲学者《てつがくしゃ》、数学者。微積分学《びせきぶんがく》の形成者。主著《しゅちょ》に『形而上学叙説《けいじじょうがくじょせつ》』『人間悟性新論《ごせいしんろん》』などがある。

＊ヒッピー…既存《きそん》の社会の制度や慣習、価値観《かちかん》を拒否《きょひ》して脱社会《だつしゃかい》的行動をとる人々。また、その運動。長《ちょう》髪《はつ》や奇抜《きばつ》な服装《ふくそう》が特徴《とくちょう》。一九六〇年代後半にアメリカで生まれ、世界に広まった。

＊ヘルベルト・マルクーゼ…一八九八～一九七九年。アメリカの社会学者、哲学者。ドイツ生まれのユダヤ人。一九六〇年代、アメリカの市民運動家、学生運動家たちの精神的支柱となる。彼は、マルクス主

義とフロイト左派《さは》の折衷《せっちゅう》を目指した。現代の管理社会化を批判《ひはん》。主著《しゅちょ》は『理性と革命《かくめい》』『エロス的文明』など。

＊全学連…全日本学生自治会総連合の略称《りゃくしょう》。一九六〇年代から学生運動は反体制運動として暴力的《ぼうりょくてき》に荒《あ》れ狂《くる》い、社会に多大な被害《ひがい》をもたらした。

＊涅槃《ねはん》…原語のニルヴァーナは、「吹《ふ》き消《け》すこと、消滅《しょうめつ》」の意。煩悩《ぼんのう》の火が悟《さと》りによって消滅し、すべての苦悩《くのう》がなくなった状態のこと。仏教において、究極的な目的である永遠の平和、最高の喜び、安楽の世界を意味する。人が肉体をもつ限り、完全な涅槃には入れないとされる。

第二九講

上よりの権威《けんい》に従《したが》え　ロマ書一三章一～七節

パウロは、一三章の初めに、この世の権力に対して信仰者はどう生きたらいいか、ということを述べています。一～七節まで読んでみます。

すべての人は、上に立つ権威に従うべきである。なぜなら、神によらない権威はなく、おおよそ存在《そんざい》している権威は、すべて神によって立てられたものだからである。したがって、権威に逆らう者は、神の定めにそむく者である。そむく者は、自分の身にさばきを招くことになる。

いったい、支配者たちは、善事《ぜんじ》をする者には恐怖《きょうふ》でなく、悪事をする者にこそ恐怖である。あなたは権威を恐《おそ》れないことを願うのか。それでは、善事をするがよい。そうすれば、彼からほめられるであろう。彼は、あなたに益を与《あた》えるための神の僕《しもべ》なのである。しかし、もしあなたが悪事をすれば、恐《おそ》れなければならない。彼はいたずらに剣《つるぎ》を帯びているのではない。彼は神の僕であって、悪事を行う者に対しては、怒《いか》りをもって報《むく》いるからである。だから、ただ怒りをのがれるためだけではなく、良心のためにも従《したが》うべきである。

あなたがたが貢《みつぎ》を納めるのも、また同じ理由からである。彼らは神に仕える者として、もっぱらこの務めに携《たずさ》わっているのである。あなたがたは、彼らすべてに対して、義務を果しなさい。すなわち、貢を納むべき者には貢を納め、税を納むべき者には税を納め、恐るべき者は恐れ、敬《うやま》うべき者は敬いなさい。

（一三章一～七節）


この箇所《かしょ》は問題になるところです。パウロはどうして、「すべての人は、上に立つ権威《けんい》に従うべきである」（一三章一節）というようなことを言うのだろうか、と疑問《ぎもん》にお思いになられるでしょう。良い権威であれば従うことは当然です。しかし、悪い権威といいますか、神無き者が権力を取ると、それに従うことは問題です。今のように権力に反抗《はんこう》するのが当たり前の時代ですと、パウロの言葉はあまりに微温的《びおんてき》ではないか、という謗《そし》りを免《まぬか》れないと思います。

先の大戦中は、戦争一本に皆が駆《かた》り立てられました。それで、自分の欲《ほっ》しないこともしなければならなかった。また日本政府は、神社参拝《さんぱい》といったようなことを国民に強要しました。頭を下げたくないけれども、「権威《けんい》に従え《したが》」と書いてあれば従わねばならぬのではないかといって、嫌々《いやいや》ながらでもクリスチャンはお宮参りに行ったことがありました。

現在の悪い政治権力、国家権力というものを認《みと》めるような、あまりに妥協的《だきょうてき》で安易な考え方、これでいいのか。まあ今の左翼《さよく》がかったクリスチャンは、「聖書の考えなんかは古い、ブルジョア的だ」、そう言って批判《ひはん》するでしょう。だが、あれほど福音のために戦った伝道者パウロが、どうしてこういうことを言うのか。私たちはもう少し考えてみたいと思います。

権威に従うべきか

ユダヤ人は、歴史上幾度《いくど》も、アッシリアに、バビロニアに、またギリシアのアレキサンダー大王に征服《せいふく》されました。またこの当時は、ローマの属国となって占領下《せんりょうか》にありました。そういう苦しい時代の愛国者と呼《よ》ばれる人々は、たいがい当時の暴政《ぼうせい》、圧政に対して抵抗《ていこう》したんです。彼らは、神も無く聖書も知らない支配者に抵抗したから、ヒーロー(英雄《えいゆう》)となって名が残っておるわけです。

そういった考え方で、たびたび反抗《はんこう》してきたのがユダヤ人です。ちょうど今、イスラエルではハヌカ祭の最中です。この祭りの起源《きげん》となったマカベア時代のことを思ってみても、時の為政者《いせいしゃ》に抵抗《ていこう》し、とうとうユダヤの国は独立を勝ち取りました。

ところが、パウロほどの人ですのに、全然違《ちが》う。彼はここで、「無用な抵抗はするな。そんなことをすれば、かえって審判《しんぱん》を招いて害を受ける」というようなことを申しております。むしろ、当時の国家権力者《けんりょくしゃ》から誉《ほ》められるような者になったほうがいいぞ、と言う。まあ、今の全学連や共産党、社会主義者たちから見れば、どうしても受け入れられない思想ですね。

しかしパウロは、あえて「上に立つ権威《けんい》に服従《ふくじゅう》せよ」と申します。それは、パウロがただ妥協的《だきょうてき》に言っておるんじゃないんです。社会革命《かくめい》、社会反抗というようなことは、悲壮《ひそう》でいいですよ。ほんとうに自分で血を流して立ち上がる人はいいですけれども、そうでない一般《いっぱん》の人や、女、子供《こども》まで駆《か》り立《た》てて、革命の犠牲《ぎせい》に供《きょう》する必要はないはずです。

悪の世に生きて信仰を練る

パウロにしてみれば、キリストと共に十字架につけられて、すでに彼の心はこの世に対して死んでいるんです。この世には未練がないんです。ただ地上の残る生涯《しょうがい》を、旅人、宿り人として歩いておる人間として、こういう思想が出てくるんです。

このことを、どう説明したらよいでしょうか。

パウロの信仰からすれば、すべての最高の権威《けんい》、力をもちたもうものは神なんです。

暗黒の世というか、この悪の時代に、我々が生きるということは大変なことです。しかし、この暗黒の中においても、なお神が背後《はいご》におって監視《かんし》し、統治しておられるということを、彼は忘《わす》れていない。

この悪《あ》しき世の中で、私たちは生きつづけてこそ信仰を練ることができます。もし、この世が温室のようなユートピア社会だったら、信仰するということにプロテスト(抗議《こうぎ》、反対)もなければ、レジスタンス(抵抗《ていこう》、障害《しょうがい》)も感じませんよ。悪の世だからこそ、抵抗しなければ生きてゆけない。しかも、無用な抵抗をパウロは勧《すす》めていない。ここで彼は、「貢《みつぎ》を納め、税を納めよ」(一三章七節)と言っております。「貢」という語は、「φορος《フォロス》 被征服《ひせいふく》民《みん》が征服者に納める税、人頭税、租税《そぜい》」といった意味です。それから、「税を納める」という時の「税」は、「τελος《テロス》 通行税、物品税」ですね。税関を通過する時に、「たばこを持っていますか?」「それじゃ幾《いく》らです」といって関税がかかる。それらを喜んで納めよ、と言う。

どうしてこういうことを言うか。それは、パウロにおいても、またイエス・キリストにおいてもそうですが、信仰ということは従《したが》うことなんです。服従《ふくじゅう》することなんです。従うということは、大いなるものに従うことです。

「妻たる者よ。主に仕えるように自分の夫に従えよ」（エペソ書五章二二節）とあります。さらに、人間はキリストに従い、キリストは神に従っておられるというのが、聖書の思想です。これは、宇宙的《うちゅうてき》な秩序《ちつじょ》というものを考えているんです。より大いなるものに仕え、従って生きる。

イエス・キリストは、この地上において神に従われた。その従い方は、十字架の死に至《いた》るまで従順であられた。そうすると、どうなのか。死んでも神に従うような者にとっては、もうすでに死んだ人間ですから、この世の権威《けんい》に服従するといったようなことは何でもないわけです。こういうことは、普通の世の中の考えをもっておっては理解できません。

キリストは、

「幸いなるかな、貧しき者は。天国はその人のものなり」（マタイ伝五章三節）と言われた。貧しいのに天国を胸《むね》の中に領有して生きておる人間にとっては、現在置かれている外側の社会というものは、どうでもいいんです。

平岡基邦《もとくに》さんが言われるように、ボーナスが多かろうが少なかろうがあんまり大したことはありません。多ければ結構ですが、多かったからといって有頂天《うちょうてん》になって喜ぶほどのこともない。これは、常に精神的な王国を心の中に築いておる者の思想です。ですから、無用な抵抗《ていこう》はしない。

ヒッピーという社会現象

最近、いつも私の脳裏《のうり》にあるのは、ヒッピー族とかビート族とかいう連中のことです。ヒッピーは、今までの社会や価値観《かちかん》を否定《ひてい》して、頭陀袋《ずだぶくろ》だけ持って旅から旅に、至《いた》るところで野宿して、ごろごろ汚《きたな》い格好をして生きている。ヨーロッパでもアメリカでも、日本でもそうです。今までヒッピーのことなど考えもしなかったけれども、アメリカのバークレーでゴットリーブ博士から刺激《しげき》を受けました。

博士の息子《むすこ》のルイスは、ヒッピー族の思想的指導者だといいます。もう一人は、学生運動の指導者マルクーゼ。博士から「ぜひ二人に会いなさい」と言われたことから、私はいろいろと考えるようになりました。しかも二カ月後に、その息子のルイス・ゴットリーブ氏が日本に来るんです。それで会った時に、全然話が合わないなら困《こま》ります。

今まで、インドのニューデリーに巣くっておったヒッピーたちは、皆、ヒマラヤのネパールに行っているといいます。ネパールは、高山地帯で清らかな所ですのに、急にヒッピーがやって来て困《こま》っておる。それを指導するために、ゴットリーブ博士の息子《むすこ》が行っているんですね。

暖《あたた》かい所で乞《こ》食《じき》をするのは楽です。しかし寒い所に行って乞食をするというのは、一つの思想の精神修練ということがある。だから、本当のヒッピーになろうと思うならば、よほどに身体《からだ》も心も強靱《きょうじん》な人間でないとなれないんです。そういうことが、私はこの間までわかりませんでした。

とにかく、ヒッピーたちはほとんど労働しない。労働してもなるべくたくさん金を貰《もら》おうとする。なぜかというと、飯を食うためです。人間が生存《せいぞん》するために、いちばん大事な欲望《よくぼう》は食欲だというのが、ヒッピー族の哲学的基礎《てつがくてききそ》なんです。人間は皆、食う権利《けんり》があると言う。生存するということについては当然の権利だと思っておるから、物をもらうということも、憐《あわ》れみを乞《こ》うような気持ちじゃない。誰《だれ》の物をもらったって、彼らは感謝しません。ただ食うだけでありません。たばこでも、酒でも、セックスでも、すべてに共有思想をもっておる。

ですから、ヒッピー族の若者《わかもの》たちは、一夫一婦などというようなことは考えない。一夫多妻でもない。彼らは、女はみんな男のセックスの道具だと思っている。そして、自分たちの思想は、社会革命的《かくめいてき》思想だと思っている、男も女もね。

彼らの考えは、目茶苦茶です。マルキシズムといったようなものも認《みと》めていない。資本家あっての労働者などというけれど、資本というものがなければ、労働もないんです。おれたちは労働すらもしない、といって乞食《こじき》をしています。

そうして現在の社会を否定《ひてい》するだけでない、自分をも否定している。この世の中で生きておることに意味を見出《みいだ》さないから、酒でも何でもあおる。泥酔《でいすい》して留置場に入れられて、ただ飯をもらう。ヒッピーたちは家を持たず、私有財産を持たず、妻を持たずに流浪《るろう》する。

彼らはヒッチハイクして回りますが、それも合法的なヒッチハイクではありません。どうやってネパールのカトマンズまで行くのだろうかと思いますが、列車の切符代《きっぷだい》を払《はら》う気なんてないんです。上手に混雑に紛《まぎ》れ込《こ》んで乗る。とがめられれば、あまりに汚《きたな》い格好をしていますから、駅員も「この乞食から代金は取れない」と思います。無いから取れないんです。それで、彼らの哲学《てつがく》では、無いということは強いんです。代金を払わなかったからといって、自己呵責《じこかしゃく》もありません。

幕屋的信仰もヒッピーに似ている?

こうして、この世のものを何も持たずに生きてゆく。そういう意味では、これは一種の幕屋主義です。イエス・キリストは弟子《でし》たちに、金も袋も二枚の下着も持たせずに伝道にお遣《つか》わしになった。無銭徒歩伝道旅行、これは一種のヒッピーです。しかし、何が違《ちが》うだろうか。

フランスの大統領ド・ゴールは、この春、「政治の共同参加」ということを言いました。労働者も学生も皆、社会に参加するのだということを提案しました。しかし、ヒッピーたちは社会参加すら拒否《きょひ》する。彼らは、現在の社会を否定《ひてい》しているんですから。彼らは、「異端者《いたんしゃ》として生きるということは、よほどの精神力がないとできない」と言います。その意味では、一種の幕屋的な生き方に似ております。

それで、財津正彌《まさや》君と竹下仁平《じんぺい》君に、私は勧《すす》めてみたいと思うんです。しばらくの間ヒッピーになって、社会のどん底まで落《お》ち込《こ》まれてみたらどうだろうか。彼らと話し、彼らと一緒《いっしょ》にごろ寝《ね》してやってみてほしい。これは修行《しゅぎょう》になると思う。社会の底辺にうごめいている人たちというものを通して現代を知ることは、伝道者たる者に必要だと思う。あなたがたは、二人とも立派《りっぱ》に無銭徒歩伝道をしなさった。この無銭徒歩伝道旅行ということと、ヒッピーたちがやっていることと、外側は似ています。しかし、内容は全然違《ちが》う。ただ、似ていればこそ、なお「あなたがたに欠けているのはこれじゃないか」と言って、ヒッピーたちにも話ができると思うんです。

二つの大きな社会問題

こうして見ると、二つのことが、今の社会の大きい特徴《とくちょう》だと思います。

一方では、権力《けんりょく》なんかは認《みと》めないといって抵抗《ていこう》する人々、暴動《ぼうどう》を起こす全学連のような若者《わかもの》たちがおります。また一方では、消極的な無政府主義者たちがいる。ヒッピー族とか、フーテン族といった若者《わかもの》たちは、現代の政治とか社会には一切《いっさい》興味がない。だからどうでもいい。権威《けんい》に対して革命《かくめい》を起こそうなどということは考えていない。

これは共に、国家権力の無視《むし》、抵抗《ていこう》というところからきています。

それらに対してパウロは、

「我らの国籍《こくせき》は天にあり」(ピリピ書三章二〇節)という立場に立っております。それなら、国籍が天にあるならば、現在の国家権力に奉仕《ほうし》することはいらないんじゃないか、と言いたいところです。そこをパウロは言わない。ここが、私たちが考えてみる必要があるところです。

神が無いから権力に抵抗する

ある人が、「あの人は全学連に入って盛《さか》んにやるから偉《えら》い」と言います。そして、今、刑務所《けいむしょ》に留置されている元全学連委員長に面会してほしい、と頼《たの》まれました。しかし、私は行きません。それは、私がパウロと同じような気持ちをもっているからです。現在の権力に抵抗して、何をするんだ。彼らは、神が無いから抵抗するんですよ。自分でやろうとするんです。

しかしパウロにおいては、神がすべてをご存《ぞん》じなのだ、という考えです。

この暗黒の世の中で、我々が世の光のごとくに生きているということに意味があるんです。そこで神も無いかのように、早まったことをすべきではない。神を信じておるがゆえに、黙《だま》って現在を容認《ようにん》している。どんなことにも、耐《た》え忍《しの》んでゆくことができる。

しかし、神の無いヒッピーたちや全学連の学生たちが、別の道を歩くのは、これ当然です。

国家権力《けんりょく》にどう対処《たいしょ》するか

それで、問題は国家権力に対する問題です。

パウロは、「権力に従《したが》え」と言っているんです。しかしながら、国家権力なんかに従えるものか。悪の権力を排除《はいじょ》してこそクリスチャンじゃないか、と言いたいところですね。

私たちの原始福音は国家権力を是認《ぜにん》しているのか、どうなのか。これに対してどう思いますか？　私が結論《けつろん》を言ってしまったらおしまいだが、このくらい分析《ぶんせき》してみました。

それに対してどう思います？　財津君？

権力でなくても、嫌《いや》な会社に勤《つと》めているという場合も、同じでしょう。それに対して、どうか？　平岡さんは、「社長がいっこうにわからんので困《こま》ります」と言うけれども、そのような場合にクリスチャンはどうあったらいいのか。本質的には同じ問題です。

財津君、君の意見を言ったらいいんだ。君はパウロじゃないんだから、パウロ流に言う必要はないし、手島と意見が違《ちが》ったっていいわけだ。

財津　こういう問題に対しては、幕屋に触《ふ》れる前と、触れてからと、変わりました。

手島　うん、それは知っているよ。

財津　問題を解決できるのだろうかという疑問《ぎもん》をもちながら、私は十年くらい権力《けんりょく》と戦う生活をしておりました。だから、むなしい思いもしましたけれども、それ以外の生き方というものを模《も》索中《さくちゅう》で知りませんでしたから、国家権力に反抗《はんこう》して、社会的な問題に情熱を燃やしていました。

ところが幕屋に触れてから、そういうものがいつの間にか消えてしまいました。そして、自分が命をかけて生きる場所というものを見出《みいだ》した思いがして、今はもうキリストの福音に生かされているという喜びでいっぱいです。牧師だった昔の私は、安保反対の国会デモとか、社会問題に打《う》ち込《こ》んだ時期がありました。だから、昔、私のやっていたことと、今とどうつながるのかと、皆から聞かれるんですけれども、全くつながらないんです。

手島　弓削田隆一《ゆげたりゅういち》君、君は日本航空の組合の書記長じゃないか。

弓削田　私たちにはもう、永遠の生命《いのち》に入らなければならないという大きな前提があります時に、国家権力に対して、また我らの国籍《こくせき》は天にあるという生き方をいつもやっていく……。

手島　それが君の組合活動とどう調和している？　君、やっていただろう？

弓削田　あれは、去年で任期が終わりました。

手島　それなら、その間どうだった？　矛盾《むじゅん》を感ずるはずなんだ、誰《だれ》でもね。感じていいさ、どうなんだ？　では、国鉄（現在のＪＲ）の高橋信夫君。

高橋　クリスチャンなるがゆえに、立派《りっぱ》な仕事をしてゆかなければならないということを私は思うわけです。しかし、その立派さなるがゆえに、それにとらわれる心と、それからキリストに生かされてなお喜んでいるというところの価値《かち》が、喜びが、内側のものが先だと思うんです。

手島　なんです？　それは。

こういうことを話してみると、私たちがどうあるべきか、ということを考える材料になります。結論《けつろん》を出してしまうのは、どうかと思います。

無抵抗《むていこう》主義による勝利

初代教会のクリスチャンは、無抵抗主義でした。当時の権力《けんりょく》に対して無抵抗でした。武器すらとって立ちませんでした。ましてや、角材を持って社会革命《かくめい》をやろう、などということもしませんでした。

無抵抗《むていこう》主義は弱いように見えます。しかし、上よりの権威《けんい》に従《したが》って無抵抗ということは、弱いようでも強いですね。ローマにキリスト教が伝わってから三百年もすると、キリスト教を迫害《はくがい》したローマ帝国《ていこく》のコンスタンチヌス帝はクリスチャンになって、ついにキリストの前に頭を下げてしまいました。その後、八十年ほどで帝国は東西二つに分かれ、やがて瓦解《がかい》してゆきました。

さらに、後々のヨーロッパの王様たちは、戴冠式《たいかんしき》の時に、ローマ教皇《きょうこう》から頭に王冠をのせてもらわなければ、王様にもなれないぐらいになってしまった。こういうことを考えるとどうでしょうか。

時間をかけてみれば、何が勝ったかということがわかるわけです。

こういうお話をすると、パウロが「上よりの権威に従え、抵抗するな」と言っておることについてのご参考になるだろうと思います。

初代教会の人々は、ほんとうに上よりの権威に服従《ふくじゅう》しました。

イエス・キリストが十字架にかかられた時も、反抗しようと思えばできたんです。しかし反抗せずに、黙《だま》って十字架にかかりたもうた。もちろんこれは、宗教的な意味から出たものです。

イエスを十字架にかけたのはローマの総督《そうとく》であり、当時のユダヤの権力階級の祭司たちでした。これに抵抗し、反抗してもよかったんです。イエスが反抗するならば、相当の人間が従うはずで

マハトマ・ガンジー

した。王様にでも祭り上げようというような、大人気があったんですからね。しかし、イエス・キリストはあえてなさらなかった。ただ黙々《もくもく》と服従《ふくじゅう》の道を歩かれた。

　これを、政治的にやったのがインドのマハトマ・ガンジーです。彼は、徹底的《てっていてき》に非暴力《ひぼうりょく》主義を貫《つらぬ》きました。一種の無《む》抵抗《ていこう》主義です。しかし、無抵抗ということは弱いようで、実に強い。やがてイギリス帝国《ていこく》がどうにもならなくなりました。そして、ついにインドを投げ出してしまう。

　私たち悪の世の中に生きておる者には、ずいぶん矛盾《むじゅん》があります。職場でも、こんな嫌《いや》な上役にと思うような時も、忍《しの》んで従《したが》っているうちに、磨《みが》かれるのは誰《だれ》かというと、その人の魂です。だが、ただ忍従《にんじゅう》、服従するだけでは弱いです。このことを通して、権力《けんりょく》をもっている者が悔《く》い改《あらた》めるならば、もっと良い結果になります。

　ですから、愛と善意《ぜんい》だけが、根本的に人や社会を変えてゆく。近視眼的《きんしがんてき》に目前の政治、社会といったものを見ておりますと、この問題は解けません。

（一九六八年十二月十八日　①）

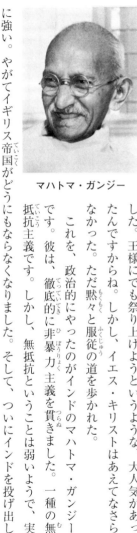

＊マカベア時代…紀元前二～前一世紀、マカベア家がユダヤを統治した時代のこと。ユダヤのヘレニズム化を強制したシリアのアンティオコス四世エピファネスに対して、マカベア家は独立への戦いを指導し、勝利した。

＊ハヌカ祭…紀元前一六四年に、マカベア家のユダ・マカベアがアンティオコス四世エピファネスによって汚《けが》されたエルサレム神殿《しんでん》を奪回《だっかい》して、これを潔《きよ》め、再びユダヤの聖所として奉献《ほうけん》したことを記念する祭り。この時、エルサレム神殿内のメノラー（七枝の燭台《しょくだい》）の火を灯《とも》す油が一日分しかなかったのに、奇《き》跡的《せきてき》に八日間燃えつづけた。「宮潔めの祭り」「光の祭り」とも呼《よ》ばれる。

＊ビート族…現代の常識や道徳に反抗《はんこう》し、無軌道《むきどう》な行動をする若者《わかもの》たち。第二次大戦後、アメリカを中心に現れた。彼らは物質文明的な進歩志向に背《せ》を向けた。

＊コンスタンチヌス帝《てい》…ローマ皇帝《こうてい》（在位三〇六～三三七年）。ローマ皇帝として、最初にクリスチャンになったといわれる。キリスト教を公認《こうにん》宗教に加え（三一三年のミラノ勅令《ちょくれい》）、ニカイア公会議を主催《しゅさい》。
（ニカイア公会議とは、紀元三二五年、小アジアのニカイアで開かれたキリスト教会の総会議のこと）

〔第三〇講　ロマ書一三章八〜一四節〕

8互《たが》いに愛し合うことの外《ほか》は、何人《なにびと》にも借りがあってはならない。人を愛する者は、
律法《りっぽう》を全うするのである。
9「姦淫《かんいん》するな、殺すな、盗《ぬす》むな、むさぼるな」など、そのほかに、どんな戒《いまし》めがあ
っても、結局「自分を愛するようにあなたの隣《とな》り人《びと》を愛せよ」ということの言葉に帰する。
10愛は隣り人に害を加えることはない。だから、愛は律法《りっぽう》を完成するものである。
11なお、あなたがたは時を知っているのだから、特に、この事を励《はげ》まねばならない。
すなわち、あなたがたの眠《ねむ》りからさめるべき時が、すでにきている。なぜなら今は、わ
たしたちの救いが、初め信じた時よりも、もっと近づいているからである。12夜はふけ、
日が近づいている。それだから、わたしたちは、やみのわざを捨《す》てて、光の武具を着け
ようではないか。13そして、宴楽《えんらく》と泥酔《でいすい》、淫乱《いんらん》と好色、争いとねたみを捨てて、昼歩く
ように、つつましく歩こうではないか。14あなたがたは、主イエス・キリストを着なさ
い。肉の欲《よく》を満たすことに心を向けてはならない。

第三〇講

愛こそ律法《りっぽう》の完成　　ロマ書一三章八〜一四節

互《たが》いに愛し合うことの外《ほか》は、何人《なにびと》にも借りがあってはならない。（一三章八節）

素晴《すば》らしい言葉ですね、これは。もっと強く訳《やく》さないといけません。互いに愛し合うこと以外は、何人にも、何にも、またいささかの借りも、あってはならない。これはどういう意味です？　X君。

X　人に迷惑《めいわく》をかけたらいけない。

手島　そんなことはない。Y君、どんな意味だろう、うん？

Y　文字どおりに読めば「借金するな」という意味ですけど、愛するということは、もう何て言いますか、返しても返しきれないほどの借りなんだということを、逆説的に言ったように思い

代々木幕屋のゼミナール風景

ます。

手島　そのとおり。キミは牧師試験、パスだ。それでいいよ、そのとおり。私はこの聖句をある時に読んで、素《す》晴《ば》らしい言葉だと思ったんです。それは、私の伝道の初期で、『聖霊の愛』を書いておった頃《ころ》です。

「互《たが》いに愛し合うこと以外は、何人《なにびと》にも借りがあってはならない」

これは、ただ読んだら、「愛されるという、愛の負債《ふさい》は、これはやむをえない」というふうに解釈《かいしゃく》するんです。そうじゃないんです。お金を借りたなら、一切《いっさい》の借りは返さなければならない。税金でも滞納《たいのう》していたら、それは払《はら》わなければならない。愛以外の負い目はみんな払えるものです。

しかし、愛だけは、愛するということだけは、どれだけ愛しても愛しても、愛し尽《つ》くしたということはない、という意味です。

互《たが》いに愛し合うことのほかは、何人《なにびと》にも、何の借りもあってはならない。

これを受身にとれば、愛されること以外は、これを借金に、負い目にして残ってもしょうがないともとれないではないです。しかし、ずっと読んでみるとそうじゃない。愛するということ、それは、どれだけ愛しても愛しても、もうこれであの人に尽《つ》くしきった、ということはないという意味です。

母親が子供《こども》に尽くしても尽くしても、「これでもう満足した、あの子にはこれだけしてやったから大丈夫《だいじょうぶ》だ」とは、本当の母性愛だったら思わない、思いませんよ。どれだけ尽くしてやっても尽くしてやっても、尽くしきれないのが愛です。愛は、いつも借金として残っている間は健全です。

「あの人にあんなにしてあげたのに、感謝していない」と言う人があります。しかし、感謝を求めるといったようなことが、だいたい愛ではないのであって、本当の愛は、どこまでも借金になって残るんです。私には多くの借金がある。あの方に、あの時、ああしてあげたらよかったのに、ほんとうに悪かったなあという、自分を責める気持ちばかりが残りまして、愛の負債《ふさい》を果たしたなどという気はないです。

本当の愛は、そのようなものです。これを誤解《ごかい》するんです。「愛の借金は負うておきます、パウロのように」なんて言いますけれども、それは巧《たく》みな利己《りこ》主義です。そうじゃないですよ、ここで言っている意味はね。

いやあ、Y君に感心したなあ。本当だ。互《たが》いに愛し合うことの外《ほか》は、何人《なにびと》にも、何の借りもあってはならない。それ以外、何でも義務は履行《りこう》せよ。しかし愛だけは、どれだけ履行しても、それで終わることはない。そのような愛に生きているなら、借金は苦にならない、愛の借金はね。愛は惜《お》しみなく与《あた》えるというけれども、与えても与えても、なお負い目として残るもの、これ愛です。

愛は律法《りっぽう》を全うする

人を愛する者は、律法を全うするのである。（一三章八節）

ここは、「全うする」ではなくて、現在完了形《かんりょうけい》の「πεπλήρωκεν《ペプレーローケン》 全うしている」です。

ユダヤ教でいちばん大事なのは律法《トーラー》ですけれども、そのトーラーを全うするものは愛だ、という。ですから、愛以外に律法を全うできないんです。律法には何百と違《ちが》う箇条《かじょう》がある。それがいろいろ矛盾《むじゅん》、撞着《どうちゃく》したりするんですから、これを満たすなどというようなことはできません。しかし、愛だけが律法《おきて》を満たします。

また、愛によって為《な》したことは、不完全であっても満たしているのだ、といったような含蓄《がんちく》の深い言葉です。こんなところ、パウロはざくざくと素晴《すば》らしい聖句を並《なら》べています。ああ、偉《えら》い男だったなあと思うんです。世の中にめったに出てこない宗教家ですね。

「姦淫《かんいん》するな、殺すな、盗《ぬす》むな、むさぼるな」など、そのほかに、どんな戒《いまし》めがあっても、結局「自分を愛するようにあなたの隣《とな》り人《びと》を愛せよ」というこの言葉に帰する。愛は隣り人に害を加えることはない。だから、愛は律法《りっぽう》を完成するものである。（一三章九、一〇節）

律法には、「姦淫するな、殺すな、盗むな、むさぼるな」など、いろいろと戒めがあっても、結局は「自分を愛するようにあなたの隣り人を愛せよ」という言葉に総括《そうかつ》することができる。愛は隣人《りんじん》に害（κακος《カコス》 災《わざわ》い、悪）を加えない。「加える」ではなく、「ουκ εργαζομαι《ウーク エルガゾマイ》 働かない」です。ですから「愛は隣人に害を及《およ》ぼさない、害をもたらさない」という意味でしょうね。

「だから、愛は律法を完成するものである」。原文は「愛、すなわち律法の完成」とあるだけです。「完成するものである」というように動詞《どうし》として訳《やく》していますが、原文は「πλήρωμα《プレーローマ》満たされたもの、充満《じゅうまん》、成就《じょうじゅ》」という名詞で、「律法《りっぽう》のプレローマ、愛」となっています。

愛こそ律法の完成、という意味でしょう。

律法を守るということ、すなわち、「~しない、~してはいけない」ということは、消極的でネガティブなことです。しかし、「愛」は積極的な内容です。「~すべからず」といっても、人間はやっぱりしたくなってしまう。それをせずに、心から神の戒《いまし》めを守ろうとするのは、愛です。愛は律法を完成する。この愛は、神の愛、キリストの愛です。人間的な愛ではありません。キリストが、聖霊によって私たちに与《あた》えたもうものが愛です。

「わたしたちに賜《たま》わっている聖霊によって、神の愛がわたしたちの心に注がれているからである」(五章五節)と書いてあるとおりです。神の愛は、聖霊によって私たちの心に注がれてくる。だから、聖霊を経験しない者には、神の愛、天の愛は注いでこないんです。

この愛こそが、律法を完成するんです。

キリストを着よ

なお、あなたがたは時を知っているのだから、特に、この事を励《はげ》まねばならない。すなわち、あなたがたの眠《ねむ》りからさめるべき時が、すでにきている。なぜなら今は、わたしたちの救いが、初め信じた時よりも、もっと近づいているからである。（一三章一一節）

原文には、「励《はげ》む」という語はありません。直訳《ちょくやく》するならば、

「すなわち、あなたがたが眠りから覚めるべき時である。なぜなら今は、私たちの救いが、初め信じた時よりも、もっと近いからである」となります。この救いというのは、メシアの救いです。

一一章二六、二七節に、

「救う者がシオンからきて、ヤコブから不信心を追《お》い払《はら》うであろう。そして、これが、彼らの罪を除《のぞ》き去《さ》る時に、彼らに対して立てるわたしの契約《けいやく》である」とありますように、個人的な救いというよりも、旧新約聖書を一貫《いっかん》するメシアの救いです。

メシアが来臨《らいりん》する時に救われる。

このメシアの来臨ということは、いろいろに解釈《かいしゃく》ができます。イエス・キリストが再臨するという思想もあるでしょう。だが、復活のキリストは弟子《でし》たちに対して、「視《み》よ、我は世の終わりまで常に汝《なんじ》らと偕《とも》に在るなり」（マタイ伝二八章二〇節）と言われて、常に聖霊として来臨していることを示されました。これはクリスチャンの思想です。

しかし、この来臨《らいりん》しているキリストが、ますます御姿《みすがた》を現し、御業《みわざ》をはっきりと現されてくる、ということをここで言うんです。

夜はふけ、日が近づいている。それだから、わたしたちは、やみのわざを捨《す》て、光の武具を着けようではないか。そして、宴楽《えんらく》と泥酔《でいすい》、淫乱《いんらん》と好色、争いとねたみを捨てて、昼歩くように、つつましく歩こうではないか。あなたがたは、主イエス・キリストを着なさい。肉の欲《よく》を満たすことに心を向けてはならない。

（一三章一二〜一四節）

時代が暗黒であればあるほど、朝は近い。すなわち、キリストの日は近い。闇《やみ》のわざを捨てて、光の武具を着よう。そして、宴楽と泥酔、淫乱と好色、争いや妬《ねた》みを捨てて、昼歩くようにつつましく歩こう。「つつましく」ではなくて、「ευσχημονως《ユースケーモノース》　立派《りっぱ》に」歩こうではないか。

さらに、「光の武具を着けよ」とあり、また「キリストを着よ」とありますが、これは同じことを言っているんです。私たち肉なる者にとって大事なことは、光の衣《ころも》を、キリストという衣を、愛を着ることです。

これらは、あることを象徴的《しょうちょうてき》に言っているんです。パウロがすでに体験しておったことですが、この肉なる者の上に、栄光の体というか、不思議な聖霊の働かれるものを着ることをいうんです。それが不思議な力を発揮《はっき》する。これを着ることが、私たちにとっていちばん大切であり、キリストの民《たみ》として生き、またキリストの臨在《りんざい》を現してゆく条件となります。

キリストを着る。これは、古い自分に死ななければ着ることはできません。大死《だいし》一番《いちばん》というか、心身脱落《だつらく》、脱落心身、一度古いものが脱落しなければ、キリストを着るということがない。

これはパウロが、自分を十字架して甦《よみがえ》ったという思想と、同じことをいうんです。

（一九六八年十二月十八日　②）

〔第三一講　ロマ書一四章一～二三節〕

1信仰の弱い者を受けいれなさい。ただ、意見を批評《ひひょう》するためであってはならない。
2ある人は、何を食べてもさしつかえないと信じているが、弱い人は野菜だけを食べる。
3食べる者は食べない者を軽《かろ》んじてはならず、食べない者も食べる者をさばいてはなら
ない。神は彼を受けいれて下さったのであるから。4他人の僕《しもべ》をさばくあなたは、いっ
たい、何者であるか。彼が立つのも倒《たお》れるのも、その主人によるのである。しかし、彼
は立つようになる。主は彼を立たせることができるからである。
5また、ある人は、この日がかの日よりも大事であると考え、ほかの人はどの日も同
じだと考える。各自はそれぞれ心の中で、確信を持っておるべきである。6日を重んじ
る者は、主のために重んじる。また食べる者も主のために食べる。神に感謝して食べる
からである。食べない者も主のために食べない。そして、神に感謝する。
7すなわち、わたしたちのうち、だれひとり自分のために生きる者はなく、だれひと
り自分のために死ぬ者はない。8わたしたちは、生きるのも主のために生き、死ぬのも
主のために死ぬ。だから、生きるにしても死ぬにしても、わたしたちは主のものなので

ある。
9なぜなら、キリストは、死者と生者との主となるために、死んで生き返られたから
である。10それだのに、あなたは、なぜ兄弟をさばくのか。あなたは、なぜ兄弟を軽《かろ》ん
じるのか。わたしたちはみな、神のさばきの座《ざ》の前に立つのである。11すなわち、
「主が言われる。わたしは生きている。
すべてのひざは、わたしに対してかがみ、
すべての舌は、神にさんびをささげるであろう」
と書いてある。12だから、わたしたちひとりびとりは、神に対して自分の言いひらきを
すべきである。
13それゆえ、今後わたしたちは、互《たが》いにさばき合うことをやめよう。むしろ、あなた
がたは、妨《さまた》げとなる物や、つまずきとなる物を兄弟の前に置かないことに、決めるがよ
い。14わたしは、主イエスにあって知りかつ確信している。それ自体、汚《けが》れているもの
は一つもない。ただ、それが汚れていると考える人にだけ、汚れているのである。15も
し食物のゆえに兄弟を苦しめるなら、あなたは、もはや愛によって歩いているのではな
い。あなたの食物によって、兄弟を滅《ほろ》ぼしてはならない。キリストは彼のためにも、死

なれたのである。16それだから、あなたがたにとって良い事が、そしりの種にならぬよ
うにしなさい。17神の国は飲食ではなく、義と、平和と、聖霊における喜びとである。
18こうしてキリストに仕える者は、神に喜ばれ、かつ、人にも受けいれられるのである。
19こういうわけで、平和に役立つことや、互《たが》いの徳を高めることを、追い求めようで
はないか。20食物のことで、神のみわざを破壊《はかい》してはならない。すべての物はきよい。
ただ、それを食べて人をつまずかせる者には、悪となる。21肉を食わず、酒を飲まず、
そのほか兄弟をつまずかせないのは、良いことである。22あなたの持っている信仰を、
神のみまえに、自分自身に持っていなさい。自ら良いと定めたことについて、やましい
と思わない人は、さいわいである。23しかし、疑《うたが》いながら食べる者は、信仰によらない
から、罪に定められる。すべて信仰によらないことは、罪である。

〔ロマ書一五章一～一三節〕

1わたしたち強い者は、強くない者たちの弱さをになうべきであって、自分だけを喜
ばせることをしてはならない。2わたしたちひとりびとりは、隣《とな》り人《びと》の徳を高めるため

に、その益を図《はか》って彼らを喜ばすべきである。3キリストさえ、ご自身を喜ばせること
はなさらなかった。むしろ「あなたをそしる者のそしりが、わたしに降《ふ》りかかった」と
書いてあるとおりであった。4これまでに書かれた事がらは、すべてわたしたちの教え
のために書かれたのであって、それは聖書の与《あた》える忍耐《にんたい》と慰《なぐさ》めとによって、望みをいだ
かせるためである。
5どうか、忍耐と慰めとの神が、あなたがたに、キリスト・イエスにならって互《たが》いに
同じ思いをいだかせ、6こうして、心を一つにし、声を合わせて、わたしたちの主イエ
ス・キリストの父なる神をあがめさせて下さるように。
7こういうわけで、キリストもわたしたちを受けいれて下さったように、あなたがた
も互いに受けいれて、神の栄光をあらわすべきである。8わたしは言う、キリストは神
の真実を明らかにするために、割礼《かつれい》のある者の僕《しもべ》となられた。それは父祖たちの受けた
約束を保証すると共に、9異邦人《いほうじん》もあわれみを受けて神をあがめるようになるためである、
「それゆえ、わたしは、異邦人の中で
あなたにさんびをささげ、
また、御名《みな》をほめ歌う」

と書いてあるとおりである。

10また、こう言っている、

「異邦人《いほうじん》よ、主の民《たみ》と共に喜べ」

11また、

「すべての異邦人よ、主をほめまつれ。

もろもろの民よ、主をほめたたえよ」

12またイザヤは言っている、

「エッサイの根から芽が出て、
異邦人を治めるために立ち上がる者が来る。

異邦人は彼に望みをおくであろう」

13どうか、望みの神が、信仰から来るあらゆる喜びと平安とを、あなたがたに満たし、
聖霊の力によって、あなたがたを、望みにあふれさせて下さるように。

第三一講

人の弱きを負う心　ロマ書一四章一節〜一五章一三節

信仰の弱い者を受けいれなさい。ただ、意見を批評《ひひょう》するためであってはならない。ある人は、何を食べてもさしつかえないと信じているが、弱い人は野菜だけを食べる。食べる者は食べない者を軽《かろ》んじてはならず、食べない者も食べる者をさばいてはならない。神は彼を受けいれて下さったのであるから。（一四章一〜三節）

この一四章の初めに、

「信仰の弱い者を受け入れよ。その人の意見を批評するな」と書いてあります。

ここでパウロが言う、信仰の「弱い者」「強い者」というのは、私たちが普通に使っている「弱い、強い」とは、意味が違《ちが》います。そのことを、食物の問題から論《ろん》じます。

互《たが》いに裁《さば》き合《あ》うな

「ある人は、何を食べてもさしつかえないと信じているが、弱い人は野菜だけを食べる」(一四章二節)。原文には、「だけ」という語はありません。「野菜を食べる」です。

「食べる者は食べない者を軽《かろ》んじてはならず、食べない者も食べる者をさばいてはならない。神は彼を受けいれて下さったのであるから」(一四章三節)と書いてありまして、強い信者というのは、何でも食べてよい、酒を飲んでもタバコを喫《の》んでも、肉を食べてもよいと考える人、という意味で言っています。

それに対して弱い信者とは、禁欲《きんよく》生活をするほうがよいと思《おも》い込《こ》んでいる人のことです。ですから、弱い信仰者というのは、ある考えに凝《こ》り固《かた》まっている、野菜だけ食べる菜食主義が良いんだと思い込んでいるような人のことを指しています。そういう人を躓《つまず》かせぬようにせよ、と言う。「何を食べても」は、「何を」ではなくて、「すべてを食べる」です。「何でも食べることを信じている」という意味です。肉を食べても、タコやイカを食べたってよい。何でも食べるというのが、ここで言う強い信者です。

ところが、ユダヤ人はタコやイカを食べません。エビも食べない。それで、何は食べてはならぬ、何は食べてもよい、といった戒律《かいりつ》主義者のことを、弱い信者と言うのです。だがお互《たが》い、菜食主義が良いんだ、何でも食べてよい主義が良いんだ、といったようなことについて、「裁《さば》き合《あ》うな」と言っている。

また、ある人は、この日がかの日よりも大事であると考え、ほかの人はどの日も同じだと考える。各自はそれぞれ心の中で、確信を持っておるべきである。日を重んじる者は、主のために重んじる。また食べる者も主のために食べる。神に感謝して食べるからである。食べない者も主のために食べない。そして、神に感謝する。

（一四章五、六節）

「日を重んじる」というのは、祝祭日のことです。ユダヤの祭りの日、または土曜日、つまり安息日を非常に重んじる人がいる。だが、そんなに安息日を重んじなくてもいいじゃないかという考え方の者もおったわけです。どうしてかというと、ローマの考え方で育ってきたクリスチャンは、ユダヤ教の伝統である祭日を守るというようなことを、大事にしないわけです。

それで、パウロが一四章で言おうとするところは、どうでもいい問題については、議論《ぎろん》したり裁き合ったりするな、大事なことはキリストである、ということです。

神の国は飲食にあらず

ところが一般《いっぱん》のクリスチャンは、現在でも、どうでもいいことが大事なのです。

いろいろな人が私に聞きに来ます。

「洗礼《せんれい》は、聖餐式《せいさんしき》は、大事でしょうか？」

「どうでもいいでしょう」と答えたら、「どうでもいいじゃ困《こま》る」と言われる。

また禁酒、禁煙《きんえん》といったようなことでも、どうでもよいという立場をパウロはとっています。

それに対して、「それがどうでもいいと言われたら、大変なことだ」と枝葉末節《しようまっせつ》の問題を重大視《じゅうだいし》する。今のクリスチャンでしたら、平和運動をやらないとクリスチャンでないかのように言います。根本的な福音の問題はそっちのけにして、どうでもいい問題で争う。

しかし大事なことは、一四章一一節に、

「主が言われる。わたしは生きている。すべてのひざは、わたしに対してかがみ、すべての舌は、神にさんびをささげるであろう」とあります。神を礼拝《れいはい》するということが、いちばん大事です。

一七節には、

「神の国は飲食ではなく、義と、平和と、聖霊における喜びとである」とあります。これは、飲み食いはどうでもよい問題ではないか、という意味です。神の国にとって大事なことは、義と平和と聖霊における喜びである。

また、「神の国は飲食にあらず」ということは、裏《うら》を返せば、初代教会は絶えず飲んだり食ったりしておったようです。それは仲が良かったことの表れですけれども、そのことがまた争いにもなるわけです。貧しい者はあまり食べられずに、金持ちだけがうまい物を愛餐会《あいさんかい》の時に食べるといったようなことがあったんでしょう。

それで一四章二〇節に、

「食物のことで、神のみわざを破壊《はかい》してはならない。すべての物はきよい。ただ、それを食べて人をつまずかせる者には、悪となる」とあります。

何を食べてもよい。しかしながら、異邦人《いほうじん》を躓《つまず》かせないように、

「弱い人には弱い者になった。すべての人に対しては、すべての人のようになった」(コリント前書九章二二節)というのがパウロの主義でした。

「肉を食わず、酒を飲まず、そのほか兄弟をつまずかせないのは、良いことである」(一四章二一節)でありまして、躓かせぬことが大事であって、肉を食わぬ、酒を飲まぬということは、どうでもいいんです。しかし、人を躓かせることになるのなら、肉断《だ》ちする、また酒断ちする。

塚本虎二《つかもととらじ》先生にならって

先日、ある弁護士さんと食事をしました。すると、このかたが大変酒が好きです。「内村鑑三《かんぞう》先生は禁酒主義者でしたが、あなたは内村門下にしては、えらいお飲みになりますね」と言いましたら、

「私は内村門下だから、躓《つまず》く人がおったら杯《さかずき》を捨《す》てて、すました顔をしておる。しかし飲む人たちとは、どこまでも共に喜んで飲む。これはロマ書の精神からくる」というようなことを言っておられた。

何事でも、度を過ぎてこういうところの聖書を利用したら悪いけれども、パウロはそういう考えですよ。今のクリスチャンとは、だいぶ違《ちが》うんです。私も同様の主義をとっております。

私は、教会で信仰をしはじめました。また賀川豊彦《とよひこ》先生の書物を読んで心酔《しんすい》しておりましたから、クリスチャンになってから、タバコも酒も、ずっと飲みませんでした。しかし昭和九年でしたか、今から三十五年ほど前のことです、塚本虎二という無教会の先生の集会で箱根に行きました。すると先生が私を部屋に招じ入れて、

「さあ手島君、ボルドーのぶどう酒がある、一緒《いっしょ》に飲もう」と言って、赤いぶどう酒をご馳《ち》走《そう》さ

れた。私は一杯《ぱい》でこらえておったけれども、先生は何杯でも飲むんですね。先生も飲むんだなあ、それじゃ自分も、というわけで、私もついつい飲むようになりました。

その後は、大いに飲むようになった。これが私の間違《まちが》いのもとか、幸せのもとか、それは知りません（笑い）。しかし、こうやって飲食によって裁《さば》かれない人間になりました。そのように、どうでもよいことによって裁かれない。しかし、人が躓《つまず》くのならば、私は飲みません。

ブラウン牧師の思い出

そんな点、三河湾《みかわわん》聖会（一九六四年夏）にやって来たジェームズ・ブラウン牧師は偉《えら》いと思います。彼と一緒《いっしょ》に横浜の集会に行きました。その後、横浜のグランドホテルに泊《と》まりましたが、なお彼を誘《さそ》い出《だ》しまして、飲みました。彼は日本に来て原始福音に驚《おどろ》き、学びたいと思っていた。ですから、私につきあって飲まれた。

私が勧《すす》めるのが上手で、ブラウン牧師に言ったんです、

「あなたはオットー・ピーパー博士を尊敬《そんけい》しているが、私はピーパー博士と毎晩《まいばん》ほんとうに楽しかった。彼は実に自由な信仰をもっている」と。それで、ついつい彼も飲んだ。

その次にデヴィッド・デュプレシーという、ペンテコステ派《は》の伝道者が日本に来ました。私は

この人を躓《つまず》かせまいと思って、勝浦《かつうら》聖会(一九六五年夏)の後でも、ソーダ水か水で食事を共にした。ところが、彼が言うんです、

「あなたは、聞いたのとだいぶ違《ちが》う」

「どうしてですか」

「ブラウン牧師やピーパー博士から、あなたのことを聞いて興味をもって来た。あなたは、ずいぶん酒を飲むと聞いたのに、どうして飲まないか」

「私が酒を飲んだら、あなたは躓くでしょう。あなたは、ウィーク・クリスチャン(弱い信者)だと思うから」

そうしたら、デュプレシー師が怒《おこ》ったですね(笑い)。

「いやあ、自分は強い。強いクリスチャンだ」と言いますから、

「そうですか」、それなら待っていましたとばかりに、ぶどう酒を注文しました。そう、あれは天王寺駅の上の都ホテルでしたね。そこでデュプレシー師がぶどう酒を飲んで大変に喜びました。

「どうしてあなたはアメリカでは飲まないのか」と聞くと、

「アメリカのクリスチャンは酒を飲むと躓く。だから私も飲まないが、南アフリカやヨーロッパに伝道に行った時は楽しい。彼らは自由に飲むから」と正直に言います。やっぱり人間だなあと

思いましたね、お互《たが》い。そういうことをざっくばらんに話しました。

この事は、ある点で大事です。人が躓《つまず》くようなことはしないほうがよい。それで、私は四、五年前、ブラウン牧師とずっと一緒《いっしょ》に過ごした時に、アメリカにおる間は一滴《いってき》もビールさえ飲みませんでした。そうしたら彼が、

「ブラザー・テシマ、飲もう」と言います。

「いいや、あなたが喜んで飲むのならよいけれども」

「いや、喜んでは飲まん。人の目がうるさい」と言います。

「それじゃあ、やめましょう」と言って、飲まなかった。

ところが、この間、アメリカのオーラル・ロバーツ大学に行っていたT君が帰ってきて、「ブラウン牧師が手島先生のことを褒《ほ》めていました」と言う。何かというと、

「テシマは、自分と一緒に二週間アメリカで過ごしたけれども、一滴も酒を飲まなかった。『飲まないか』と誘惑《ゆうわく》したけれども、飲まなかった。それが偉《えら》い」とブラウン牧師が言ったという(笑い)。ぼくをバカにしているとは思うけれども、しかし、これはお互いに大事なことです。

人を躓かせては何にもなりませんから、郷《ごう》に入《い》っては郷に従《したが》えで、飲むのもよいが、飲まないのもよいんです。そうやって弱いクリスチャンがおるところでは、弱くなるということが大事で

す。だがそれを、「なあに、人が躓《つまず》いてもいいじゃないか」と言うなら、それではいかんです。ただ、大多数が大いに喜んでいる時には、正月、屠蘇《とそ》を飲むような気持ちで飲む。その、飲むという勇気が大事ですね。あるクリスチャンにとっては勇気がいることです。

たとえば、昔の平岡基邦《もとくに》さんや安東恭二《きょうじ》さんならどうでしょうか。酒を飲むことは悪だと思っていましたからね。そういうクリスチャンを、弱いクリスチャンとパウロは呼《よ》んだんです。お互《たが》い強くなってよかったですね（笑い）。酒に強いという意味じゃありませんよ。何事にも、とらわれのないクリスチャンということを言っているのです。そのけじめが大切です。

杓子《しゃくし》定規《じょうぎ》に判断するな

あなたの持っている信仰を、神のみまえに、自分自身に持っていなさい。自ら良いと定めたことについて、やましいと思わない人は、さいわいである。（一四章二二節）

神の御前《みまえ》に、自ら良いと定めた（δοκιμάζω《ドキマゾー》　試験して判断した）ことについて、やましく思わない人は幸いである。「やましいと思わない」ではなく、原文は「自己《じこ》を裁《さば》かない、とがめない」です。自ら良しと判断したことについて、自己を裁かない、ということですね。しかしながら、自分の信じるところがあやふやですと、やっぱりどうかしら、といったような悩《なや》みが残る。酒飲んでよいんだろうか、タバコを吸《す》ってよいんだろうか、と。

たとえば、「Boys, be ambitious!《ボーイズ ビー アンビシャス》（青年よ、大志を抱《いだ》け！）」という言葉で有名なクラーク大佐が、明治九年にアメリカから北海道の札幌《さっぽろ》農学校に来た時のことです。彼はぶどう酒をたくさん持ってきました。寒い北海道へ行くと思ったからでしょう。白人が一人で開拓期《かいたくき》の札幌にやって来て、それは寂《さび》しさに耐《た》えられないですよ。

また、ハワイのモロカイ島に住んでおりました聖者ダミエンは、らい病人を救済《きゅうさい》した父といわれた人です。彼は、いつもタバコをふかしておりました。

彼は、もともと健康な人でしたが、やがて自らもらい病にかかりました。それには、理由がありました。ダミエンがどんなに神の愛を説いても、らい病人たちは、

「自分たちのように、こんなむごたらしい病気にかかった者には、神は愛なものか」と言って、聞きません。それで、言い伝えによると、ある夜ダミエンは、患者《かんじゃ》を洗《あら》ったバケツに残っておった、らい病の膿《うみ》をすすったといいます。

なかなか発病しませんでしたけれども、数年後には、彼もすっかりらい病に冒《おか》されてゆきました。それを下男が見ておりまして、患者たちに告げました時に、

若き日のダミエン神父

「ああ、ファーザー・ダミエンに対して悪かった」と言って、皆が泣いて悔《く》いたといいます。

彼は膿《う》みただれたらい病人を治《ち》療《りょう》しながら、あまりにひどい悪臭《あくしゅう》なので、タバコをふかしながら、その臭《くさ》みを消していました。やがて、その臭みも、病気のために彼は感じなくなってしまいました。

だから杓子《しゃくし》定規《じょうぎ》に言うべきではないと思います。不必要にタバコをふかすというのは、よくないと思う。タバコをふかしている時は、決して信仰的じゃないですよ。しかし場合によれば、タバコでもふかさなければ、とても過ごせんような時もあります。

それで、パウロにおいては、キリストの福音が最大の問題なので、それ以外はどうでもよい。どうでもよい枝葉の問題は、各自適当に信ずるところに従《したが》って神の前に生きたらよい、ということをここで申します。ですから、自分を裁《さば》かないことです。タバコの癖《くせ》がどうしても止《や》まん、実におれは残念な男だ、といって自分を裁くことがよくないです。裁くのは信仰でないですよ。このことは、お互《たが》いが注意することが大事です。

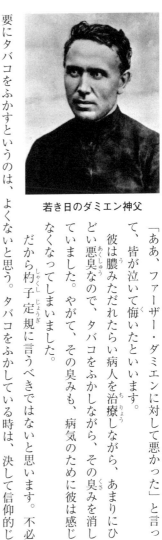

自己批判《じこひはん》をしない

コリント前書を見ると、次のように書いてあります。

このようなわけだから、人はわたしたちを、キリストに仕える者、神の奥義《おくぎ》を管理している者と見るがよい。この場合、管理者に要求されているのは、忠実《ちゅうじつ》であることである。わたしはあなたがたにさばかれたり、人間の裁判《さいばん》(審判《しんぱん》)にかけられたりしても、なんら意に介《かい》しない。いや、わたしは自分をさばくこともしない。わたしは自ら省《かえり》みて、なんらやましいことはないが、それで義とされているわけではない。わたしをさばくかたは、主である。(四章一～四節)

ここでパウロは、人の批評《ひひょう》を何ら意に介さない、と言っているでしょう。これは、私の特愛の聖句の一つです。福音は、いつも神本意に、キリストを見上げて生きることです。キリストの御《み》心《こころ》がどうであるかということが大事です。

ですからパウロは、自分を裁《さば》いたりしない、と言っている。この態度は大事です。反省ということはよいでしょう。だが、自己批判ということをパウロはしないと言っている。

また他人の批判《ひはん》を意に介《かい》しない。他人が自分を批判したり裁《さば》いたって、何も感じない。パウロは、自分の信ずるところを大胆《だいたん》に生きておりましたから、人の批判をいと小さいことに考えました。私たち原始福音に生きる者も、その態度をもっておらなければ、世の誤《あやま》ったキリスト教の批判を気にしておったら、たまったものでない。だから人の批判を気にしない。神の前に、天地神明に恥《は》じない心があるなら、それでいいじゃないか。

どうかお互《たが》いも、自分の過去、現在を裁くことをやめて、むしろ神を見上げて前進したほうが勝ちです。自分を裁くのは愚《おろ》かです。自分を裁いてばかりおると、すっかり弱ってしまう。自虐《じぎゃく》したって救われることはありません。これは、パウロが知っている一つの秘訣《ひけつ》ですね。

クリスチャンは、「悔《く》い改《あらた》め、悔い改め」と言って自己批判ばかりしています。だから救われないんです。パウロの信仰と違《ちが》うということをお考えになりませんか。私たちは前進あるのみです。

標準を神に置く

しかし、疑《うたが》いながら食べる者は、信仰によらないから、罪に定められる。すべて信仰によらない(信仰から出ない)ことは、罪である。

（一四章二三節）

信仰から出たものでないことは罪である。やっぱりこういうようなことでも、パウロの人柄《ひとがら》がわかります。どうぞ、自分を自分で裁《さば》いたら自分が可哀相《かわいそう》です。人が裁いているうえに、なお自分が自分を裁いたら、自分は弱ってゆくばかりです。少なくとも、自分を慰《なぐさ》めるというと言葉が悪いけれども、忘《わす》れることです。こういうことが信仰に通ずる。パウロにとっては裁くものは神様だけなんです。彼は、すべての標準を神に置いている、キリストに置いて生きていました。

わたしたち強い者は、強くない者たちの弱さをになうべきであって、自分だけを喜ばせることをしてはならない。（一五章一節）

一五章に入ってもなお、パウロは「強い、弱い」の問題にこだわっています。こんなところがパウロです。何度も同じことを言うんです。しかし言うたびに、思想的にぐんぐん発展《はってん》してきております。

強い者というのは、「οι δυνατοι《ホイデュナトイ》　力がある者、できる人」という意味です。何でも食える剛《ごう》の者は、強くない者、力のない者の弱さを担《にな》うべきである。こういう思いやりをもつということが大事です。

キリストさえ、ご自身を喜ばせることはなさらなかった。むしろ「あなたをそしる者のそしりが、わたしに降《ふ》りかかった」と書いてあるとおりであった。これまでに書かれた事がらは、すべてわたしたちの教えのために書かれたのであって、それは聖書の与《あた》える(「与える」という語はない)忍耐《にんたい》と慰《なぐさ》めとによって、望みをいだかせるためである。（一五章三、四節）

ここで引用されているのは、詩《し》篇《へん》六九篇の中の言葉ですが、「あなたをそしる者のそしりが、わたしに降りかかった」とあるように、弱い者をおんぶしながら生きてゆくことが信仰です。

那《な》須《す》偕子《ともこ》さんの尊《とうと》い姿《すがた》

どんなお話をしましょうか。那須純哉《じゅんや》君が生きている時に、奥さんの偕子さんは、可哀相《かわいそう》でした。どうしてかというと、福岡の実家のお母さんが非常に那須君を嫌《きら》っていたからです。那須君というよりも、伝道者といった類《たぐ》いを嫌っておりました。それで那須君は、偕子さんの実家には一度も行きませんでした。

那須君の葬式《そうしき》の夜、電話でそのお母さんが偕子さんに怒鳴《どな》り散らすんです。

「あなたはせっかく大学に入ったのに、中退して、伝道者の妻になってしまった。そして二人の小さい子供《こども》を抱《かか》えて、二十四歳《さい》で未《み》亡人《ぼうじん》になってしまった。今後、どうやってあなたは生きてゆくのか」なんて言うものですから、すっかり那須君のお父さんたちも困《こま》ってしまった。しかし、そんな時に、偕子さんは毅《き》然《ぜん》として立派《りっぱ》でした。その後、大変悩《なや》んだりしていましたが、そのたびに、私も慰《なぐさ》め励《はげ》ましながら彼女を引っ張ってきました。

ところが先日、偕子さんから電話がかかってきて、

「私は、写真植字の学校を卒業できたので、今度は東京か大阪で働きたいのですが、どうしましょうか」と言われる。それで、大阪の天王寺《てんのうじ》幕屋にどうぞ住んでちょうだい、と申しました。

その後の偕子さんの生きぶりを、大阪で伝道している峯崎三四男《みねさきみよお》君が非常に褒《ほ》めておったですね。偕子さんは、

「出雲《いずも》から伯母《おば》の那須ひでさんを呼《よ》んで、子供たちを見てもらって、私が働きます」と言っておる。私は、あの人をいたわってあげてよかったと思います。そして、とうとう一度も自分の実家に帰ることをしません。実家は薬局で金はあります。しかし、なんぼ金があっても、自分の夫を尊《とうと》ばないようなお母さんのところに誰《だれ》が帰るか、と言って帰らない。

ところが、この間、熊本の幕屋霊苑《れいえん》に那須君の納骨《のうこつ》をしました。その帰りに、偕子さんが実家

に行ってきた。お母さんが胃がんになって、手術をすることになったからです。偕子さんは、「お母さん、手術を受ける前に、お願いだから手島先生にお詫《わ》びの手紙を書いてください」と言ったそうで、その後、お母さんから手紙が来ました。そして、そのお母さんが今度の大分《おおいた》の新年聖会に来ていました。そしたら、私の前でさめざめと泣いて言われるんです、

「生きている間は、那須純哉さんの偉《えら》さを知らずに、死なれてからわかりました。偕子は、まず実家に帰るべきなのに、帰ろうともせずに、毅然《きぜん》として独立してやっている。ほんとうに私も、今になってやっと信仰に入りました」と言われる。

もちろん、元から教会には行っているんですよ。しかし、アクセサリー程度の信仰だったんです。ところが胃がんになりまして、そうなると人間、ただじゃすみません。「神様！」と叫《さけ》びはじめた。そして無事に過ごすことができて、元気になられた。そうなってみると、信仰の有《あ》り難《がた》みといいましょうか、幕屋なくしてはもう生きられなくなった。人間、強い間はだめです。

人のために泥《どろ》をかぶる

しかし、人は皆、信仰が強いといっても、本当は弱いんです。自分すらも頼《たよ》りにならなくなったら、「神様！」と言って、神の懐《ふところ》に帰ってゆきなさる。そのお母さんがこうなるについては、

誰《だれ》かが弱きを負うてあげなければ、こういう喜ばしい信仰の域《いき》に達することはありませんでした。それで、弱きを負うということ、これは愛の一つのタイプでしてね、負おうと思って負えるわけではない。

私たち夫婦《ふうふ》の間でも、時々口論《こうろん》する時があります。家内を今日も、あることで叱《しか》った。家内の言うことを聞いたために、こんなことになった。それは、ある人が非常に苦しい羽目に陥《おちい》りなさったからです。家内は、その人をおんぶするつもりで言った。私もまたその人を負うつもりで言った。負おうとするやり方が食《く》い違《ちが》うために、議論になってしまう場合があります。

後になると、人のお世話のことで夫婦で口論して、ばかばかしいなと思う。その弱い人のためであれと思って、お互《たが》いが口論しただけです。家内にやかましく言いましたが、どっちもその人を見たらほうっておけないんです。何とかその弱さを、肩代《かたが》わりしようと思う気持ちが、そんなになるんです。

「強い者は、強くない者たちの弱さをになうべきである」(一五章一節)。こういう、良い言葉がいっぱいありますね。

また、「あなたをそしる者のそしりが、わたしに降《ふ》りかかった」(一五章三節)とあるように、人を幸福にしようとするためにそしられることがしばしばある。しかし、そのことを覚悟《かくご》しなければば、伝道なんてできることじゃありません。人の泥《どろ》をかぶる気がなければ、何もできません。この弱きを担《にな》うということは、私流に表現すると、人のために泥をかぶろうと思えば何でもできるよ、ということと同じなんです。そしる者のそしりが自分に降《ふ》りかかった。しかしながら、そういうことを通して忍耐《にんたい》を学ぶことが大事です。

どうか、忍耐と慰《なぐさ》めとの神が、あなたがたに、キリスト・イエスにならって互《たが》いに同じ思いをいだかせ、こうして、心を一つにし、声を合わせて、わたしたちの主イエス・キリストの父なる神をあがめさせて下さるように。

こういうわけで、キリストもわたしたちを受けいれて下さったように、あなたがたも互いに受けいれて、神の栄光をあらわすべきである。（一五章五～七節）

七節の最後に、「神の栄光をあらわすべきである」と訳《やく》してありますが、原文は「神の栄光の中へと受け入れてくださった」となっています。ですから直訳すると、「それゆえに、あなたがたはお互いを受け入れよ。ちょうどキリストが、あなたがたを神の栄光の中へと受け入れてくださったように」となります。このままでよくわかります。

キリストは、私たちのような罪深い、弱い泥《どろ》まみれの悪い奴《やつ》を受け入れてくださった。どこに受け入れてくださったかというと、神のご栄光の中に、シェキナー（神の臨在《りんざい》）の漂《ただよ》うような状態の中へと受け入れてくださった。だったら、お互《たが》いに受け入れ合うことぐらいできるのは当然じゃないか、というわけです。

わたしは言う、キリストは神の真実を明らかにするために、割礼《かつれい》のある者の僕《しもべ》となられた。それは父祖たちの受けた約束を保証すると共に、異邦人《いほうじん》もあわれみを受けて神をあがめるようになるためである。
（一五章八、九節）

神の真実を「明らかにする」という字はありません。「真実のために」です。「割礼のある者」というのはユダヤ教徒のことです。直訳《ちょくやく》すれば、「キリストは神の真実のために、割礼のある者の僕（διακονος《ディアコノス》　仕え人）となられた」ですね。それは、父祖たちの受けた約束を保証すると共に、異邦人も憐《あわ》れみを受けて、神を崇《あが》めるようになるためである。

キリストはただクリスチャンだけのキリストではない。ユダヤ教徒のキリストでもあるということを、ここで言っております。

父祖たちが受けた約束

むしろキリストにとっては、ユダヤ教徒のほうが第一なんです。ユダヤ教徒がほんとうに救われることを通して、異邦人《いほうじん》も救われてゆくわけです。ものには順序というものがあって、まず、割礼《かつれい》ある者のためにキリストは僕《しもべ》となってくださった。そして長い間、ユダヤ人の祖先たちが受けておった約束の保証となってくださった。それで、ユダヤ人である自分たちも信仰に入った。自分たちが信仰に入ったから、異邦人であるローマのあなたがたも信仰に入ったんじゃありませんか、というわけです。

「それゆえ、わたしは、異邦人の中で
あなたにさんびをささげ、
また、御名《みな》をほめ歌う」
と書いてあるとおりである。
また、こう言っている、
「異邦人よ、主の民《たみ》と共に喜べ」（一五章九、一〇節）

先に救われた主の民《たみ》、パウロ流に言うならば、ユダヤ人のクリスチャンでしょう、ユダヤ人クリスチャンと共に喜べ。

もろもろの民の旗となる

また、
「すべての異邦人《いほうじん》よ、主をほめまつれ。
もろもろの民よ、主をほめたたえよ」
またイザヤは言っている、
「エッサイの根から芽が出て、
異邦人を治めるために立ち上がる者が来る。
異邦人は彼に望みをおくであろう」
（一五章一一、一二節）

パウロは、旧約聖書の詩篇《しへん》や申命記《しんめいき》、サムエル記などを引用してロマ書を書いております。ここでは、イザヤ書一一章一〇節からの引用ですが、ずいぶん旧約聖書の原文とは違《ちが》っております。原文では、「エッサイの根が立って、もろもろの民の旗となる」と書いてある。ここは、パウロは、ずいぶん乱暴《らんぼう》に聖句の引用をしておる。というのは、忙《いそが》しい中で書いたものですし、シナゴーグ（ユダヤ教の会堂）に行って聖書を点検するという余裕《よゆう》もないでしょう。あるいは、獄中《ごくちゅう》で書いたりもする。ですから間違《まちが》いが紛《まぎ》れ込《こ》んでいるということはやむをえません。

ここで、エッサイの根というのは、ダビデ王の父がエッサイです。このダビデの子孫にキリストが、メシアが出るだろう。そして、もろもろの民《たみ》の旗となるだろう、という。すなわち、旧約の預言者たちは、ユダヤ教はユダヤ民族だけに止《とど》まってはいけないのだ、全世界の諸民族《しょみんぞく》の光となる、旗となるということを預言している。

それを目指してユダヤ教は起こった。そのユダヤ教が、一民族宗教である段階《だんかい》を終えて、イエス・キリストによって、世界のもろもろの民の旗となる時が来たんだ、ということを申すのです。そのために自分は伝道しておる。

こう言ってパウロは、どうしてユダヤ人である自分がユダヤ人伝道をせずに、異邦人《いほうじん》伝道者になったかという問題に答えています。旧約聖書の発展《はってん》は、全世界的宗教を打ち立てるということにある。そういうわけで、ローマのあなたたちにもこうしてロマ書を書いたりしているのだ、というわけです。

最後の祈り

どうか、望みの神が、信仰から来るあらゆる喜び（信仰することにおいてのすべての喜び）と平安とを、あなたがたに満たし、聖霊の力によって、あなたがたを、望みにあふれさせて下さるように。

（一五章一三節）

これが、パウロの最後の祈りです。

「望みの神」というのは、私たちに希望を起こさせる神という意味です。神様は、過去、現在だけではなく、未来にわたってまで生きておられるという意味における希望です。

また、「あらゆる喜びと平安とを、あなたがたに満たし」とあるように、信仰は喜びと平安が満ちるというのが特色です。ですから、信仰はパトス的（情動的）なものであることがわかります。

さらに、「聖霊の力によって、あなたがたを、望みにあふれさせて下さるように」とあります。

私たちは、自分を見つめたら、希望はありません。

また、神を見上げるだけでは、希望はありません。何によって希望があるかというと、聖霊の力が働くならば何でもできる。未来にも希望がもてる。聖霊の力によって希望というものが現実となります。

聖霊の力、神の霊というものを抜《ぬ》きにしたら、希望はむなしいものです。希望はしても、実現に至《いた》らぬならむなしい。いつまでも希望に止《とど》まるのならば、それは本当の希望ではありません。希望は、聖霊の力があふれることによって成る。それを体験するところに、原始福音の生活があります。

どうか、望みの神が、聖霊の力によって、あなたがたを望みにあふれさせてくださるように。

ここで、ロマ書は終わったようなものです。これからは結論《けつろん》というか、結びです。

（一九六九年一月八日　①）

＊W・S・クラーク…一八二六～一八八六年。札幌《さっぽろ》農学校（現・北海道大学）の初代教頭、事実上の創設者《そうせつしゃ》。アメリカのマサチューセッツ州に生まれ、アマースト大学、ドイツのゲッティンゲン大学に学ぶ。南北戦争では義勇軍に入隊し、大佐《たいさ》に昇進《しょうしん》。彼のキリストにある教育によって、札幌バンドが生まれる。

＊ジョセフ・ダミエン神父…一八四〇～一八八九年。ベルギー人のカトリック宣教師《せんきょうし》。神学生の頃《ころ》ハワイに渡《わた》り、ホノルルで司祭《しさい》となる。モロカイ島のハンセン病者のために、志願して同島に渡り、献身《けんしん》した。「モロカイの聖者」と呼《よ》ばれる。

〔第三二講　ロマ書一五章一四〜三三節〕

14さて、わたしの兄弟たちよ。あなたがた自身が、善意《ぜんい》にあふれ、あらゆる知恵《ちえ》に満
たされ、そして互《たが》いに訓戒《くんかい》し合う力のあることを、わたしは堅《かた》く信じている。15しかし、
わたしはあなたがたの記憶《きおく》を新たにするために、ところどころ、かなり思いきって書い
た。それは、神からわたしに賜《たま》わった恵みによって、書いたのである。16このように恵
みを受けたのは、わたしが異《い》邦人《ほうじん》のためにキリスト・イエスに仕える者となり、神の福
音のために祭司の役を勤《つと》め、こうして異邦人を、聖霊によってきよめられた、御旨《みむね》にか
なうささげ物とするためである。

17だから、わたしは神への奉仕《ほうし》については、キリスト・イエスにあって誇《ほこ》りうるので
ある。18わたしは、異邦人を従順《じゅうじゅん》にするために、キリストがわたしを用いて、言葉と
わざ、19しるしと不思議との力、聖霊の力によって、働かせて下さったことの外《ほか》には、
あえて何も語ろうとは思わない。こうして、わたしはエルサレムから始まり、巡《めぐ》りめぐ
ってイルリコに至《いた》るまで、キリストの福音を満たしてきた。

20その際、わたしの切に望んだところは、他人の土台の上に建てることをしないで、キ

リストの御名《みな》がまだ唱えられていない所に福音を宣《の》べ伝《つた》えることであった。21すなわち、
「彼のことを宣べ伝えられていなかった人々が見、
　聞いていなかった人々が悟《さと》るであろう」
と書いてあるとおりである。
　22こういうわけで、わたしはあなたがたの所に行くことを、たびたび妨《さまた》げられてきた。
23しかし今では、この地方にはもはや働く余地がなく、かつイスパニヤに赴《おもむ》く場合、あ
なたがたの所に行くことを、多年、熱望していたので、――24その途中《とちゅう》あなたがたに会
い、まず幾分《いくぶん》でもわたしの願いがあなたがたによって満たされたら、あなたがたに送ら
れてそこへ行くことを、望んでいるのである。
　25しかし今の場合、聖徒たちに仕えるために、わたしはエルサレムに行こうとしてい
る。26なぜなら、マケドニヤとアカヤとの人々は、エルサレムにおる聖徒の中の貧しい
人々を援助《えんじょ》することに賛成したからである。27たしかに、彼らは賛成した。しかし同時
に、彼らはかの人々に負債《ふさい》がある。というのは、もし異邦人《いほうじん》が彼らの霊の物にあずかっ
たとすれば、肉の物をもって彼らに仕えるのは、当然だからである。28そこでわたしは、
この仕事を済《す》ませて彼らにこの実を手渡《てわた》した後、あなたがたの所をとおって、イスパニ

ヤに行こうと思う。29そしてあなたがたの所に行く時には、キリストの満ちあふれる祝
福をもって行くことと、信じている。
30兄弟たちよ。わたしたちの主イエス・キリストにより、かつ御霊《みたま》の愛によって、あ
なたがたにお願いする。どうか、共に力をつくして、わたしのために神に祈ってほしい。
31すなわち、わたしがユダヤにおる不信の徒から救われ、そしてエルサレムに対するわ
たしの奉仕《ほうし》が聖徒たちに受けいれられるものとなるように、32また、神の御旨《みむね》により、
喜びをもってあなたがたの所に行き、共になぐさめ合うことができるように祈ってもら
いたい。
33どうか、平和の神があなたがた一同と共にいますように、アァメン。

第三二講

ロマ書の結論《けつろん》

ロマ書一五章一四～三〇節

使徒パウロが書いた最大の論文であるロマ書は難解《なんかい》だ、と評されます。予備知識もなく、正面からぶつかって読めば、そうかもしれません。だが裏《うら》からパウロの心をのぞいてみると、こんなに親しめる書はありません。何を伝えたいために、パウロはロマ書を書いたのか？

終わりの部分をまず読んでみると、その何かがわかります。

ロマ書の主要な論議は、一章から一五章一三節で終了《しゅうりょう》して、一四節からは、いわばロマ書のエピローグ（終章）ともいうべく結論が述べられています。ここでパウロは、いちばん大事なことを言おうとしています。

さて、わたしの兄弟たちよ。あなたがた自身が、善意《ぜんい》にあふれ、あらゆる知恵《ちえ》に満たされ、

そして互《たが》いに訓戒《くんかい》し合う力のあることを、わたしは堅《かた》く信じている。（一五章一四節）

ここで「善意《ぜんい》」と訳《やく》された語は、「αγαθωσυνη《アガソーシュネー》　善《よ》きこと、美徳」の意味です。「知恵《ちえ》」とあるのは、「γνωσις《グノーシス》　知識」と訳すべきです。

ローマのクリスチャンは、さすがに古代ローマ帝国《ていこく》の首都の信者らしく、人間的に優《すぐ》れた教養をもつ善良な人格者ばかりが集まっていました。いろいろ問題があっても、互いに訓戒し合い、切磋琢磨《せっさたくま》することも知っていました。そんな立派《りっぱ》な信者に対して、何も言うべきこともないはずですのに、パウロとしては、なお書かざるをえない理由がありました。

しかし、あえて、わたしが部分的にあなたがたに書いたのは、神からわたしに与《あた》えられた恩寵《めぐみ》によって、あなたがたに思い出させるためである。（一五章一五節　直訳）

パウロの論議《ろんぎ》は、どうも「部分的だ」、もっと宗教の全体を一語で表せるような言葉――「キリスト、神、福音」というような、中心主題を法則的に抽象的《ちゅうしょうてき》に論じ立ててほしい、と思うかもしれません。だが、いくら抽象名詞《めいし》を並《なら》べ立《た》てても、宗教の生命《いのち》は把握《はあく》できません。かりに一言で、何もかも言えるとしたら、それは概念《がいねん》と概念のすり替《か》えでして、当人はわかったつもりでも、他人にはチンプンカンプンでしょう。

俳句《はいく》や短歌を作るにしても、短いだけに一つのことしか詠《よ》めません。しかし、部分的に語ってはいても、秀《すぐ》れた句は生命《いのち》があるので、本質的に象徴《しょうちょう》で語っています。生命あるものは、どの部分を突《つ》いても、全体に響《ひび》き、中心に迫《せま》ります。部分の中に本質が表情しているからです。

どうしてパウロは、あえて部分的なことを論《ろん》じたのか？　すなわち、あらゆる知識や善美《ぜんび》に精通しているローマのクリスチャンたちには、枝葉末節《しようまっせつ》と見られている事柄《ことがら》が、かえって実は信仰の神髄《しんずい》を問うことだったからです。

しかも、パウロという一世の論客が、その信仰的是非《ぜひ》を問うにあたって、少しも哲学的《てつがくてき》論理や知識で相手を説得しようとしていない。かえって、「恩寵《めぐみ》によって」福音を人々に思い起こさせようとしている。ここに、現代キリスト教と違《ちが》って、パウロの伝道の特徴があります。

パウロの使命

すなわち、異邦人《いほうじん》たちのために、わたしはキリスト・イエスに仕える者となり、神の福音のために聖なる務めを行なっている。それは、異邦人たちが聖霊によって聖別されて、（神

に）嘉納《かのう》される献《ささ》げ物《もの》となるためである。（一五章一六節　直訳《ちょくやく》）

パウロには、自分は異邦人《いほうじん》のために召命《しょうめい》され派遣《はけん》されているという自覚がありました。「聖なる務めを行なう」とあるのは、「ιερουργεω《ヒエルールゲオー》　祭司役をする」との意味にも解せます。古代のエルサレム神殿《しんでん》、あるいはアテネの神殿、あるいは日本の神社においても、祭司の務めというのは、神前に犠牲《ぎせい》を献げたり供《そな》え物《もの》を供えたりする、祭儀《さいぎ》が役目でした。だがパウロは、そんな世俗的《せぞくてき》宗教家の役を、自分はわざわざ演じたりしないと言います。

彼にとって、キリストに仕え、福音の聖なる務めを果たすとは、異邦人を聖霊の火によって聖別し、清めるということでした。「人々を聖霊にバプテスマする伝道」――これは常人にはとてもできない業《わざ》です。これこそ、パウロが神から賜《たまわ》った恵みでした。

初代教会時代には、信者も原始福音の中心主題がわからず、その霊的な奥義《おくぎ》をつかめずに、頭だけの観念的な信仰に低迷《ていめい》している人々もいました。しかし、ひとたびパウロが按手《あんしゅ》して、主イエスの名によるバプテスマを授《さず》けるや、聖霊が彼らの上に臨《のぞ》んで、ペンテコステ的状況《じょうきょう》が出現しました。たとえば、エペソではわずか十二名ほどの人が聖霊にバプテスマされると、大エペソ教会が成立したのです（使徒行伝一九章一～七節）。

聖霊による伝道、これ以外に原始福音の伝道はありません。

聖霊の伝道

それゆえ、こと、神に関する事では、わたしはキリスト・イエスにあって、誇《ほこ》りをもっている。なぜなら、わたしは、異邦人《いほうじん》たちが従順《じゅうじゅん》になるために、わたしを通してキリストが、言葉と業《わざ》に、しるしと不思議との力により、御霊《みたま》の力により、働かれたこと以外は、あえて語ろうとはしない。こうして、エルサレムから、イルリコに至《いた》るまでめぐって、わたしはキリストの福音を満たしてきているのである。（一五章一七〜一九節　直訳《ちょくやく》）

「こと、神に関する事では、わたしはキリストにあって誇る」とは、実に大胆《だいたん》な発言です。なぜなら、働きたもうものはキリストご自身であって、パウロではないからです。自身を誇るのであれば、傲慢《ごうまん》のそしりを免《まぬか》れないでしょう。しかし本文の主語は、「キリストが……働かれた」とあります。こんな卑《いや》しい僕《しもべ》を通して、キリストが栄光を現し、奇跡《きせき》を拝《はい》させてくださった事実の数々だけは、あえて自分を忘《わす》れて、語らざるをえないのが、パウロでした。

彼は、キリストが働かれたこと以外は、何も語ろうとは思わなかった。

私たち原始福音の伝道においても、キリストが働いてくださったことを伝えるんです。

ですから、私たちの集会でも、「証《あか》し」を重んじます。人によっては、これを取《と》り違《ちが》えて、何か感想めいたことを話すかたがあるが、「証し」とは、「キリストの霊が今も我らの中に躍如《やくじょ》として働きたもう事実」の証明にほかなりません。

もし、信仰の目があったら、どんなに小さなことでも、「ああ、あの時はほんとうにキリストがお働きになったんだなあ」と、神の御腕《みうで》に守られた経験を発見します。口語訳《こうごやく》の聖書では、「キリストがわたしを用いて……働かせて下さった」となっていますが、原文を読むと、働いたのはキリストご自身であって、パウロではないんです。彼は、キリストを指さしているんです。

神は霊であって、目には見えない。だが、自分の手足を通して働き出《い》で、あるいは奇跡《きせき》を、あるいは聖霊によるリバイバル（信仰復興）をなしたもう。奇跡の主はキリストであった、と言うにあります。

M兄は老境の身体《からだ》でありながら、自動車の二重衝突《しょうとつ》事故の中で、無傷《むきず》で助かったと話されました。あるいは、T兄は六畳《じょう》の貸間に住んでいる身分なのに聖地旅行に出かけられた。こんな証しを聞いて、信仰の無い人は、「なんだ、自分の手柄話《てがらばなし》ばかりして……」と陰口《かげぐち》をたたいたりしますが、彼らは、キリストに導かれる生活の素晴《すば》らしさを知らないので悪く批評《ひひょう》なさるのです。

神学者や牧師たちは、組織神学によって、あるいは教理教条によって、水も漏《も》らさぬ論理《ろんり》体系《たいけい》で、キリスト教の信仰の何たるかを証明しようとします。だが、それは理性の自己《じこ》満足ではあっても、それから真の救い、福音の力は生まれてはきません。

パウロの伝道は、そんな小賢《こざか》しい知恵《ちえ》によるものではなかった。ただ神の恵みを訴《うった》える伝道でした。どこまでも、キリストご自身が聖霊の力によって顕現《けんげん》したもうことの証《あか》しでした。

聖霊は自由を与《あた》える

時代思潮《しちょう》は変わるでしょう。だからといって、バルトだ、ヤスパースだと、流行の哲学《てつがく》を追ったところで、少しもキリスト教の教勢は伸《の》びません。英国でも、アメリカでも、またカトリックの本場イタリアでも、教会堂の伽藍《がらん》がそびえ競《きそ》うだけで、実際に教会の礼拝《れいはい》に行く人は、全人口の十パーセントもいない。人々は教会を敬遠《けいえん》し、その信仰の理屈《りくつ》から逃《のが》れようとしています。神学は、人間の自己疎外《そがい》や絶望から救わぬばかりか、かえって文明の壁《かべ》に人々を頭打ちさせてしまいます。

パウロは言います、

「主は霊である。そして、主の霊のあるところには、自由がある」（コリント後書三章一七節）と。

そうです、パウロの行く所、行く所で、キリストの聖霊が激《はげ》しく臨《のぞ》んで、人々の魂に本当の自由と救いを与《あた》えることができたればこそ、パウロの伝道は大成功したんです。自分の不思議な恩《おん》寵《ちょう》経験を通して、キリストを指さす、これが原始福音の伝道でありました。

しかし今のキリスト教は、こういう伝道をしていません。神学校に行ったら伝道者になれると思っている。なれるものか。パウロが言っていることと違《ちが》います。卑《いや》しい私、しかし、キリストは用いてくださる。私を通して働いてくださる。これが、有《あ》り難《がた》いんです。

ちょうど十年前の二月、私は東京のキリスト教会で特別伝道集会をしました。東京で最初の原始福音の集会でした。あの時、不思議に聖霊が働いて、次々と足萎《あしな》えが立ち、盲人《もうじん》が見えだしたりすることによって、皆が驚《おどろ》いて、この福音に入ってこられた。

最近では、もう皆さんが恩恵《めぐみ》の事実をたくさん知っておられるので、あえて奇跡《きせき》を証《あか》ししてみせることもしません。しかし、いつでも特別集会をした後では、いろいろな人が、「聖会に出たら、奇跡が起こった、不思議だった、難病《なんびょう》が治ったんです」と後で話してくださいます。いつも自分の知らぬ間に、キリストが偕《とも》に歩き、背後《はいご》から働いてくださったのだなあ、と神名を崇《あが》めるばかりです。

パウロの伝道には、いつもキリストが躍如《やくじょ》としていた。キリストが一緒《いっしょ》に伝道された。

これがパウロの秘密《ひみつ》です。お互《たが》い、伝道ということについて、もう一度、反省する必要があると思います。議論《ぎろん》をしている間はだめです。理屈《りくつ》を伝えたり、本を読んで知識をもっていっても、勉強では伝道はできません。神学者ほど、伝道力はありませんよ。そういう人たちが『パウロの神学』なんていう本を書くんです。とんでもないことです。

原始福音の本質を伝えるために

その際、わたしの切に望んだ(ほまれとする)ところは、他人の土台の上に建てることをしないで、キリストの御名《みな》がまだ唱えられていない所に福音を宣《の》べ伝《つた》えることであった。すなわち、

「彼のことを宣べ伝えられていなかった人々が見、
聞いていなかった人々が悟《さと》るであろう」

と書いてあるとおりである。　（一五章二〇、二一節）

どこまでも開拓《かいたく》伝道を使命とするパウロは、小アジアの伝道に一段落《いちだんらく》がついたら、ローマ経由で、ヨーロッパ大陸の果て、イスパニア(スペイン)にまでも伝道に赴《おもむ》くことを夢みていました。

あらゆる善美《ぜんび》と知識、また互《たが》いに戒《いまし》め合《あ》うことのできるローマのクリスチャンに対しても、まだ福音を知らぬ人々にも、なぜ自分が出かけてゆくべき使命があるのか？　パウロは皮肉たっぷりの表現を用いています。

ローマのクリスチャンは、どんなに世界に令名がとどろいていても（一章八節）、いちばん肝心《かんじん》な点が抜《ぬ》けているなら、何にもならない。もっぱら、聖霊と恵みの力とによって生きることが信仰ではないか！　何とか「霊の賜物《カリスマ》を分《わ》け与《あた》えたい」（一章一一節）ので、パウロはローマ行きを切望したのです。

ロマ書一章一〇節には、

「わたしは、祈りのたびごとに、絶えずあなたがたを覚え、いつかは御旨《みむね》にかなって道が開かれ、どうにかして、あなたがたの所に行けるようにと願っている」と申しています。

そしてついに、囚人船《しゅうじんせん》に乗って、とらわれの身で出かけた。これを見ても、パウロが、よほど普通の伝道者と違《ちが》っていたことがわかります。さらに言葉を続けて、

「このことについて、わたしのためにあかしをして下さるのは、わたしが霊により、御子《みこ》の福音を宣《の》べ伝《つた》えて仕えている神である。わたしは、あなたがたに会うことを熱望している。あなたがたに霊の賜物《カリスマ》を幾分《いくぶん》でも分け与えて、力づけたいからである……わたしはほかの異邦人《いほうじん》の間で得

たように、あなたがたの間でも幾分《いくぶん》かの実を得るために、あなたがたの所に行こうとしばしば企《くわだ》てた……」（一章一〇～一三節）と、あえて挑戦的《ちょうせんてき》に言いました。

ここで言う「実」とは、「聖霊の実」のことです。つまり「異言《いげん》を語り、預言をする」ことのできる霊的カリスマ的クリスチャンがローマに誕生《たんじょう》することを、パウロは願ったのでした。

ローマに福音が伝わったとはいうが、まだカリスマ的には本物ではない。キリスト教と称《しょう》しても、画竜点睛《がりょうてんせい》を欠く。ぜひとも原始福音の本質――聖霊のバプテスマを伝えて本物のクリスチャンに完成したいと願っていたのです。そのために、囚人《しゅうじん》になってでもローマに出かけました。

ロマ書のクライマックスは、第八章だと申します。そこでも、

「御《み》霊《たま》みずから、言葉にあらわせない切なるうめきをもって、わたしたちのためにとりなして下さる」（八章二六節）と言って、聖霊の異言について述べています。

序論《じょろん》、本論、結論を通じて、パウロは、「結局、聖霊の作用を欠いては、原始福音の伝道はありえない。否《いな》、聖霊の賜物《たまもの》を受けずしては、信仰は本物にならない」と断言し、聖霊のカリスマ（賜物）を高唱しているのであります。

人々は、「聖霊の恵みを受けるなんて、キリスト教全体にとって、枝《し》葉末節《ようまっせつ》のことだ」と批《ひ》評《ひょう》するかもしれない。しかしパウロにとっては、実に、このことをおろそかにしておいて全体がわ

かったなどと言っても、ナンセンスなことだったのです。

パウロをして言わしむれば、あえて教会に、無教会に、カトリックに対して、この福音の有無《うむ》を問わねばなりません。カリスマ的に福音の神髄《しんずい》を欠いては、教派《きょうは》など愚《おろ》かしいことです。

聖霊の愛

兄弟たちよ。我らの主イエス・キリスト、すなわち御霊《みたま》の愛によって、わたしのために、神への祈りの中で、わたしと共に戦ってほしい、とあなたがたにわたしは願う。

（一五章三〇節　直訳《ちょくやく》）

二十年前、私は『聖霊の愛』という一文を書きました。その題名は、この聖句から取ったのです。「キリスト・イエスの本質を、一言で何と言い表したらよいだろうか」と考えていましたが、その時、この聖句を読み、「主イエス・キリスト、すなわち(καὶ《カイ》)御霊の愛」という一句を発見して、三日三晩《みばん》、不眠《ふみん》不休で一気に本を書き上げたことを想《おも》い起《お》こします。

世の多くのクリスチャンが、キリストの本質を言い表すのに「十字架」という語を好む時に、パウロが「キリストの本質は、聖霊の愛である」と喝破《かっぱ》しているのが、私には霊感のように響《ひび》いてなりませんでした。

どうぞ、「聖霊の愛」なるキリストに、力を尽《つ》くして共に祈りとうございます。

祈ります。

私たちは、こうしてパウロの書《か》き綴《つづ》りました文を読むことができまして、ありがとうございます。

どうか神様、私たちはなお、ローマならぬ多くのキリスト教の伝わっている所に行って、キリストご自身がいかに私たちを通して働きたもうたかを、証《あか》しせずにおられません。証ししなければなりません。主ご自身がもっともっと私たちに働き、また彼らにも働いてくださることを通して、キリストが崇《あが》められるように、と願います。

どうか神様、私たち一人ひとりの信仰を励《はげ》まし、あなたご自身が私たちを宮となして、私たちにもっと強烈《きょうれつ》にお働きくださいますように。また、私たちはほんとうにへりくだって、あなたのものとなることができますよう、どうぞならしめてください。

このような光栄ある福音を、私たちは伝えられて感謝でなりません。

また、パウロがかくもはっきりと福音が何であるかを書き残しておいてくれて、有《あ》り難《がた》くてなりません。どうぞ神様、ただ読むだけでなくして、私たちは小さなパウロの弟子《でし》として、キリストがいかに私たちを通して、現代においても奇跡《きせき》としるしをもって、言葉に業《わざ》に、聖霊の力で働きたもうかを如実《にょじつ》に示してゆきとうございます。それを互《たが》いに語り合うことを通して、ほんとうに福音を思い起こすことができるようにならしめてください。

今年こそは、このロマ書の福音が、私たちにあふれるように現れてくださいますよう、お願い申し上げます。聖霊の御力《みちから》が私たちには働きますから、希望であります。

希望と慰《なぐさ》めの神様！　どのような状況《じょうきょう》にあっても、私たちは聖霊の力によって息づいてゆきとうございます。

尊《とうと》き御名《みな》により祈り奉《たてまつ》ります。（アーメン）

（一九六九年一月八日　②）

補講Ⅰ

神の御意《みこころ》をわきまえるには

――信仰と行為《こうい》の関連――

プロテスタント教会の信仰の根本は、「人間は信仰によって救われるのであって、行為にはよらぬ」ということです。ある教派《きょうは》では、この考え方を極端《きょくたん》に押《お》し進《すす》めて、「人間はひとたび信仰をもって救われたら、後になって罪を犯《おか》しても大丈夫《だいじょうぶ》だ」と、道徳律無用論《アンチノミアニズム》を説きます。「信仰のみ」を強調する弊《へい》です。

またカトリック教会では、「たとえ罪を犯しても、神父に罪を告白しさえすれば、赦《ゆる》される」と信じて、生活を改めるということがありません。このように「信仰と行為」が二つに別々な関係になっているのが、現今のキリスト教会の実態であります。

それでホーリネス教派では、「信仰によって救われ、義とされるだけではだめだ。第二の恵みに与《あずか》って潔《きよ》められなければならぬ」と言ったりしますし、カルビン派では「信仰を訓練する必要がある」と言って、信仰プラス行為《こうい》などと、いろいろ突《つ》っかい棒《ぼう》の必要を説くわけです。

信仰の意味

各教派《きょうは》で、それぞれ勝手に「信仰」という語を使いますが、問題はそこに盛《も》られている意味です。パウロはガラテヤ書五章六節で、

「愛によって働く信仰だけが益がある」と言っていますように、信仰とは生きて、愛となって働くものこそ、真の信仰です。真の生きている信仰ならば、当然、行動力をも生み出す力をもっています。ヤコブも、

「行いのない信仰は死んだ信仰である」(ヤコブ書二章二六節)と言いました。

信行合一か、分離《ぶんり》か、いずれか?

「πιστις《ピスティス》 信仰」という語を、パウロはどういう意味で使っているでしょうか。

ピスティスは、「信仰」と訳《やく》すよりは、むしろ「信実(faithfulness《フェイスフルネス》)」と訳すべきです。すなわち、私たちが信じるのは、相手が信じるに足る、信頼《しんらい》するに足る、信実なものだから信じる。ここに、「πιστος《ピストス》 忠実《ちゅうじつ》」という語から「信仰(ピスティス)」という語が出てくるんです。

私たちは「信仰によって救われる」と言うが、ロマ書一二章三節に、

「神が各自に分《わ》け与《あた》えられた信仰の量りにしたがって、慎《つつし》み深く思え」とあり、また六節に、「わたしたちは与えられた恵みによって、それぞれ異《こと》なった賜物《カリスマ》を持っている」とありますように、私たちが救われる度合い、すなわち与えられる賜物の度合いは、神の信頼度《しんらいど》に比例してそれぞれ違《ちが》います。

たとえば、若《わか》い学生のF君に対して、誰《だれ》も三十億円の金を与えようとはしません。それはF君がまだ未熟《みじゅく》な学生で、それだけの金を託《たく》すに足る、信頼するに足るだけの人格をもたぬからです。やがては、信託できる人となられるでしょうが。

ある人は、「神が人間に与える恵み《カリスマ》は、なぜ平等でないのか」と言いますが、神にどれだけ頼《たよ》っているか、どれだけ神に全託して生きているか。また、神の側から見て、どれだけ「真実な(faithful《フェイスフル》)」者であるか、どれだけ頼れるか、という人の「信実」の度合いを抜《ぬ》きにして、「私はどうして恵まれないのか?」と不平を言っても、それは悪平等で、霊的利己《りこ》主義です。

パウロは、

「あなたがたの救われたのは、実に、恩恵《めぐみ》により、信仰によるのである。それは、あなたがた自身から出たものではなく、神の賜物である」(エペソ書二章八節)と言っています。

ここで、「神の賜物である」と言っているにもかかわらず、なぜ「恩恵により、信仰により」

と言ったかを問題にしなければなりません。すなわち、神の恩恵《めぐみ》が各自の信仰の度合いによって違《ちが》うことを、もっと恐《おそ》れなければいけない、とパウロは戒《いまし》めているんです。「慎《つつし》み深く思え」（ローマ書一二章三節）と言っているとおりです。

もし、信仰により、恩恵によって救われ、その恩恵が実を結ぶほどに大きい賜物《たまもの》に浴したいと思うならば、私たちは神の側から信頼《しんらい》するに足る人間になることが大切です。たとえ、万の善行《ぜんこう》を積んで自己義認《じこぎにん》しても、神は義とされません。

静的な信仰と動的な信仰

「人間は信仰のほかに行為《こうい》が必要である」というのは、その信仰が極《きわ》めて静的《スタティック》なためです。神学書を読んだり、聖書の語句を綴《つづ》り合《あ》わせた教理集を信じたり、洗礼《せんれい》その他の儀式《ぎしき》に与《あずか》ること——そのような死んだ信仰からは、何の力も湧《わ》いてきません。そこで教会では「信仰の訓練」などと言って特訓しますが、むなしいことです。

もし、ほんとうにダイナミック（動的）な信仰だったら、自《おの》ずと愛となり、希望となり、行ないとなって現れてくるはずです。

宗教というものは、初代は活火山のようにアクティブ（活動的）で生き生きしているが、二代目、三代目になると休火山のように衰《おとろ》えてきて、ついに死火山になります。

　哲学者《てつがくしゃ》ベルクソンは「宗教には、動《ダイナミック》的な宗教と静《スタティック》的な宗教の二つがある」と言っていますが、発生時には、宗教はおよそ動的で生き生きしていたのです。それが次第《しだい》に生命を失ってしまうと、静かになり、死んだ因襲《いんしゅう》、形式、習慣しか残らなくなってしまうので、善行《ぜんこう》を奨励《しょうれい》せねばなりません。

　生命を失った干《ひ》からびた教会で、いくら聖書の知識を詰《つ》め込《こ》むことを信仰と呼《よ》んでみても、そこからは善行は生まれません。ほんとうに新鮮《しんせん》な信仰なら、生き生きとした力が噴《ふ》き出《で》てきます。「信仰」の意味を取《と》り違《ちが》えているから、「私は神を信じて救われてはいますが、何しろ霊は熱しても肉は弱いですから……」などと、言《い》い訳《わけ》をせざるをえないんです。

　父の御許《みもと》に涙《なみだ》ながらに帰ってきた放蕩息子《ほうとうむすこ》のように、「私のような罪人は、どうしても神の前には出られない。もうキリストに頼《たよ》る以外に、何にも頼れない」と、神に寄り頼むときの信仰は、単なる「信念」としての死せる信仰とは違います。

　結局、ただ口先で信仰と言っても、本当の信仰、すなわちエムナー・シュレマー（全託《ぜんたく》する信仰）でないところに問題があるんです。

真《まこと》の霊の祭りとは

兄弟たちよ。そういうわけで、神のあわれみによってあなたがたに勧《すす》める。あなたがたのからだを、神に喜ばれる、生きた、聖なる供《そな》え物《もの》としてささげなさい。それが、あなたがたのなすべき霊的な礼拝《れいはい》である。（一二章一節）

一節の初めに、「οὖν《ウーン》　そういうわけで」という語があります。これは接続詞《せつぞくし》で、「〜のゆえに、それだから、さて〜、それに対して」などの意味で使われます。

内村鑑三《かんぞう》先生は、この「ウーン」は、「信仰による救い」を説いたロマ書一章から一一章までと、「行為《こうい》」を説いた一二章以下をつなぐ「偉大《いだい》なるウーン」だと言われました。そうかもしれませんが、聖書の本文を素直《すなお》に読むと、なるべくすぐ前の思想にかけて読み取るほうが妥当《だとう》だと思われます。

すなわちロマ書一一章三三節に、

「ああ深いかな、神の知恵《ちえ》と知識との富は。そのさばきは窮《きわ》めがたく、その道は測りがたい」とあるように、神の御意《みこころ》と人間の考えは、雲泥《うんでい》の違《ちが》いがある。私たち人間にとって、神の御意は測りがたいものです。神に喜ばれる行為《こうい》は神意の実行です。

そこで、私たちが神意をわきまえるのには、神に対して自身を献《ささ》げることと、心を一新することだ、とパウロは言うんです。神に自己《じこ》を献げると、神本位の行動と思想が生まれる。神の祭壇《さいだん》に己《おのれ》を献げられるときに、神人合一の喜びを見出《みいだ》します。

しかし、神の祭壇とは、決して寺院や教会の抹香《まっこう》くさい祭壇ではない。私たち自身の体を、神に生きた供《そな》え物《もの》としよう、犠牲《ぎせい》としよう、と言うのも、献身《けんしん》すれば、神は私たちの体を、聖なる霊を盛《も》る器《うつわ》として用いたもう。恵みの賜物《たまもの》を盛る器としてくださるのです。キリストの御血汐《おんちしお》に生かされた、贖《あがな》われた、聖なる犠牲として、自分自身を献げよう、これが「霊の祭り（礼拝《れいはい》ではない）、当然の奉仕《ほうし》である」とパウロは述べております。

心（ヌース）を変えよ

あなたがたは、この世と妥協《だきょう》してはならない。むしろ、心を新たにすることによって、造りかえられ、何が神の御旨《みむね》であるか、何が善《ぜん》であって、神に喜ばれ、かつ全きことであるかを、わきまえ知るべきである。

（一二章二節）

この世と「μη συσχηματιζεσθε《メーシュスケーマティゼスセ》 妥協《だきょう》するな」は、むしろ「この世の形を追うな」です。この世の風潮《ふうちょう》に従《したが》わず、この世の流行を追わぬよう反骨《はんこつ》精神をもて！

むしろ、「νους《ヌース》 心」を新たにせよ。ヌースは情意の「心《ハート》」であるよりは、理性的な「判断力、認識力《にんしきりょく》」のことで、英語ではmind《マインド》にあたります。人間の「καρδια《カルディア》 心情《ハート》」は変わりやすいが、悟性《マインド》はなかなか変わらぬ。マインドが変わらずにいては、神の御意《みこころ》はわからない。自分で心《マインド》を変えようと努めることが大事です。

心《ヌース》が改まって、行為《こうい》が変わります。神の御意が善《ぜん》であり、喜ばしく全きことがわかるようになります。神の御意は、確かに窮《きわ》めがたく深いけれども、人間の側に大事なことは、ヌース（判断力、認識力）を変えると、少しずつわきまえられ、従順《じゅうじゅん》になる。

信仰の従順こそ

ホーリネス教会などでは「信仰によって義とされる」ということと、「罪からの潔《きよ》め」とを区別いたしまして、人間は救われただけではだめで、罪から全く潔められなければならない、などと申します。

その場合の救いとは、名目にすぎないのであって、真実の救いになっておりません。

また「罪からの潔《きよ》め」と言っても、その「罪」を道徳的なことと考えていて、泥棒《どろぼう》しない、喫《きつ》煙《えん》・飲酒しない、などと、極《きわ》めて皮相に形式道徳で理解しています。けれども、人間の道徳は、社会生活において個人を規制するものであっても、時代の変化とともに変わってゆくので、世と妥協《だきょう》することとなります。世と妥協した道徳は、必ずしも神の御《み》意《こころ》とは一致《いっち》しません。

しかし、聖書が言う「罪」とは、もっと根本的な神への叛逆背反《はんぎゃくはいはん》です。放蕩息子《ほうとうむすこ》のように、神に背《せ》を向けて歩く、人間の実存《じつぞん》の根本にかかわることです。同様に、「信仰」とはアブラハムのごとくに、神の御前に全く歩むことです。すなわち、魂の内側から神の御意に従《したが》おうとするヌース（心）があるかどうか、が問題です。「アブラハムは神に信じて義とされた」（創世記《そうせいき》一五章六節）という時に、その信仰は行為《こうい》を含《ふく》めた意味での従順《じゅうじゅん》のことでした。

心《ヌース》を新たにすることにより、内側の生命《いのち》が変化し、それによって外側にも変化が及《およ》んでくる。ここで使われているギリシア語の「μεταμορφω《メタモルフォー》　変化する」というのは、サナギが変化して蝶々《ちょうちょう》となり、オタマジャクシが変化してカエルになるように、内なる生命が発露《はつろ》して外側が変わるようなことです。そうすれば神の御意をわきまえられる、とパウロは説いています。

二節の最後にある「δοκιμάζω《ドキマゾー》　わきまえ知る」というのは、金、銀、銅などを精錬《せいれん》して滓《かす》と分けることを言います。

すなわち、神の御意《みこころ》はわかりにくいものですが、心《ヌース》が変わり、外側までメタモルフェーするときに、神の意思が判別できる、弁別することができるようになる。これがパウロの主張であります。

私たちも聖霊の器《うつわ》として献身《けんしん》し、神のものとなった器であるならば、もう一つ、改心と献身を重ねて、神の意を弁別して歩んでまいりとうございます。

（一九七二年十一月四日）

＊本稿《ほんこう》は、東京・代々木オリンピックセンターで開かれたゼミナールでの講義筆記。

補講 II　武士道的な宗教

わたしたちのうち、だれも自分のために生きる者はなく、だれも自分のために死んだりしない。わたしたちは、生きるにも主のために生き、死ぬるにも、主のために死ぬ。それゆえに、生きるにも、死ぬるにも、わたしたちは主のものである。（一四章七、八節）

この短い一文は、まるで百年前まで、「武士の鑑《かがみ》」と言われた人たちの自警《じけい》の句を想起するようではありませんか。昔の武士は、「生きるも、死ぬも、すべては主君のために」といって、烈々《れつれつ》たる精神に貫《つらぬ》かれて生きていまして、何だかこの聖句は、武士道の精髄《せいずい》を述べているかのようにさえ思われます。内村鑑三《かんぞう》先生や新渡戸《にとべ》稲造先生の信仰が、これでした。

大正十三年に、海老名《えびな》弾正《だんじょう》先生の講演を私は聴《き》きましたが、先生はこの聖句を引用して「武士道的キリスト教」を高唱されるのが常でした。

死に臨《のぞ》んでも太田道灌《どうかん》は

ところで、私がいつも残念に思うのは、今のクリスチャンには、こんな生死を賭《か》けた信仰が失われて、わからなくなっていることです。信仰生活でも自分本位の損得勘定《そんとくかんじょう》で、実利的な打算で割《わ》り出《だ》され、判断されてゆくところ、一皮はぐと、アメリカニズムが露骨《ろこつ》にむき出します。

自分本位のご都合主義になると、信仰の力は弱まってしまいます。

古《いにしえ》のローマ軍の名将《めいしょう》カミルスは「ローマ人は金《きん》をもって戦わず、鉄をもって戦う」と言ったが、ローマの近衛兵《このえへい》には日本の武士道に似た気風があり、使徒パウロも彼らの精神に感心していたようです(ピリピ書一章一三節、テモテ後書二章三節)。

パウロは金銀に惑《まど》わず、無私無欲《むよく》になって、自分のために生きず、主のために生き、また死のうと覚悟《かくご》しましたので、心は落ち着き、魂は平安でした。危機《きき》に際しても余裕《よゆう》があるので、大能力を発揮《はっき》できました。

最初の江戸城《えどじょう》の城主となった太田道灌が、刺客《しかく》のために槍《やり》で刺《さ》し殺《ころ》されました時、敵はあざ笑って、

かかる時さこそ命の惜《お》しからめ

と言いますと、瀕死《ひんし》の致命傷《ちめいしょう》にも、ひるまずに、

かねてなき身と思ひ知らずば

と下の句をつけて、相手を見下して答えるほど余裕《よゆう》がありました。平常より、自分をなき身と思って、いつでも死ぬ覚悟《かくご》ができていました。

武士の子らしい伝道

那須与一《なすのよいち》のことを、「一筋《ひとすじ》の矢に百年の命をかける武士の意地」と、琵琶歌《びわうた》に評しているが、内村鑑三先生はこの歌がお好きで、「一日一生」などという句も、武士の心得を、そのまま信仰生活に取り入れられたものでした。

明治初期に熊本バンド、横浜バンド、札幌《さっぽろ》バンドなど、血盟《けつめい》してキリスト教徒になったのは、みな武士の子弟でした。明治維新《いしん》となって、封建《ほうけん》制度が廃止《はいし》されると、仕えるべき城主《じょうしゅ》に代えるに、武士道の魂を主キリストに捧《ささ》げて、日本の伝道に血の誓《ちか》いを立てたのでした。それで、急速にキリスト教が広まったのでした。

その最盛期《さいせいき》は明治二十年代でしたが、植村正久《うえむらまさひさ》、新島襄《にいじまじょう》など、自分の死生を度外視《どがいし》して武士の

子らしい精神で福音を伝えたので、新しい指導者を見出《みいだ》した喜びに、人々は続々と教会に集《つど》ったことでした。

ところで、年月が経《た》つにつれて、アメリカ宣教師《せんきょうし》などの影響《えいきょう》が強まり、次第《しだい》に日本の人心はキリスト教から魅力《みりょく》を失ったのでした。その後のクリスチャンは人数としては増加しましたものの、質的にはロクな魂は集まらず、ついに最近のような低落ぶりを示すに至《いた》ったのであります。

四十万人あれば、日本を支配

キリスト教を奉《ほう》じた武士階級の子孫は、当時(明治二十年頃《ごろ》)は、わずかに四万人ほどでしたが、生死を賭《か》けて主キリストに生きていたので、一般《いっぱん》から非常な崇敬《すうけい》を受けていました。その一人に土佐出身のクリスチャンで、衆議院議長として令名の高かった片岡健吉《かたおかけんきち》氏がいます。その回顧録《かいころく》の中に、

「明治維新《いしん》の前は、約四十万人の武士階級がいて、よく全日本を支配していたが、もしクリスチャンが十倍も数を増加して、四十万人になったら、社会を動かす力は驚《おどろ》くべきもので、日本は理想的な神の国になるだろう」と言ったりしています。

「その後、明治の末期には、旧、新両教徒を合わせると、四十万人にはなったが、次第に日本人

に失望を与《あた》えるものとなって、何ら社会を感化できない、無力な宗教となった」と嘆《なげ》いて、書いております。これは片岡健吉氏の予言が的中しなかったのではなくて、日本のキリスト教が変質して、人間中心の薄《うす》っぺらな思想や儀式教《ぎしききょう》に堕落《だらく》したので、数うるに足らぬものとなったからでありました。

死の芳《ほう》香《こう》

いつでも死を賭《と》して、主キリストに忠節《ちゅうせつ》を捧《ささ》げる信者があれば、一人か二人でも、それが弱い女性であっても、世の中を変革《へんかく》する力があります。一人のオルレアンの少女、ジャンヌ・ダルクが神の霊感に導かれて立ち上がると、フランスを百年戦争の苦境から救い出すことができました。何も殉教《じゅんきょう》の死を遂《と》げることがよいのではなく、死の覚悟《かくご》で生《い》き抜《ぬ》くことが大切です。

一人の神の人ノックスがスコットランドに現れると、英国王を恐《おそ》れしめ、一人のルーテルという田舎《いなか》の神学校教授が、ローマ教皇《きょうこう》に「ノー（否《いな》）」と叫《さけ》ぶと、全ヨーロッパが揺《ゆ》らぎました。

　生きながら死人となりてなりはてて思いのままにするわざぞよき

今も、主キリストが求めたもうのは、使命感に燃えて、自分に死に切って生きる人物なのです。

正義感をもって毅然《きぜん》としてキリストの旗印も高らかに生きた明治のクリスチャンは、悪口や迫《はく》害《がい》を恐《おそ》れたりしませんでした。

今日のクリスチャンは、古《いにしえ》の武士のような真剣《しんけん》さに欠けています。自分のために生き、自分のために死を延《の》ばすマイホーム主義者ばかりで、キリストのために生き、キリストのために汚名《おめい》を着て死んだりはしません。パウロはキリストの死を身に負うて、自分は「死より出《い》ずる芳香《ほうこう》だ」という誇《ほこ》りをもっていました。

武士は恥《はじ》を知る、と言って「名」を惜《お》しみましたが、今のクリスチャンは金銭のためには、節《せっ》操《そう》を売っても恥《は》じず、外国宣教師《せんきょうし》にペコペコして平気でいます。世論《せろん》に付和雷同《ふわらいどう》して、風向き次第《しだい》でなびきます。武士は主君のために敵と戦い、主の馬前に討《う》ち死《じ》にすることを本望《ほんもう》としたが、主キリストに対して、今こんな戦闘的《せんとうてき》気風は見得《みう》べくもありません。

人間は生を得るは難《むずか》しく、いたずらに死を急ぐべきでありませんが、生死を超《こ》えて生きる覚悟《かくご》が大切です。

（一九七三年二月十八日）

＊本稿《ほんこう》は、東京・全国町村会館での日曜集会における聖書講義の一節。

＊マルクス・フリウス・カミルス…紀元前四四六～前三六五年。古代ローマの軍人、政治家。「ローマの救済者《きゅうさいしゃ》、第二の建設者」と言われる。ローマがガリア人の襲来《しゅうらい》によって滅亡寸前《めつぼうすんぜん》になった時、ローマ軍を率《ひき》いて戦い、勝利する。

＊海老名弾正…一八五六～一九三七年。明治・大正時代のキリスト教牧師。明治の初めに熊本洋学校でジエーンズ大尉《たいい》に学びクリスチャンとなる。熊本バンドの一人。京都の同志社英学校で新島襄に学び、各地の教会で牧師を務める。後に同志社大学総長となる。

＊那須与一…鎌倉時代初期の武士。弓矢の名手。屋島の合戦で、敵方の女房《にょうぼう》が揺《ゆ》れる舟《ふね》の上に立てた扇《おうぎ》を、海中に馬を乗り入れ、鏑矢《かぶらや》を放って射落《いお》とした。『平家物語』の名場面の一つ。

＊ジャンヌ・ダルク…一四一二頃《ころ》～一四三一年。フランスの聖女。フランスとイギリスの間で行なわれた百年戦争の末期に、神の声を聴《き》いて立ち上がり、フランスの危機《きき》を救った。

＊ジョン・ノックス…一五一四頃～一五七二年。スコットランドにおける宗教改革者《かいかくしゃ》。ピューリタニズムの創始者《そうししゃ》の一人。時のイギリス女王メアリーは、ノックスの祈りを恐《おそ》れたといわれる。主著《しゅちょ》に『スコットランド宗教改革史』がある。

編者あとがき

この「ロマ書連続講話」が始まる前年（一九六七年）六月に、第三次中東戦争（六日戦争）が勃発《ぼっぱつ》し、千九百年ぶりにエルサレム旧市街がイスラエル民族の領有に帰するという奇跡《きせき》が起こります。イエス・キリストが預言し、また使徒パウロが願ったごとく、「異邦人《いほうじん》の時が満ちて、歴史の中に神の御手《みて》が働いた」ことに驚喜《きょうき》した手島郁郎先生は、翌年《よくねん》の二月、大エルサレム回復祝賀聖地巡礼団《じゅんれいだん》を派遣《はけん》し、エルサレム回復の歴史的意味を強調されました。

この時、イスラエルの新聞は巡礼団のことを大きく報道し、各地で熱烈歓迎《ねつれつかんげい》を受けました。そのイスラエルの反応を目《ま》の当たりにして、先生はこのロマ書の連続講話を思い立ったように思われます。ロマ書一一章にあるように、「イスラエル人をして妬《ねた》ましく思わせるほどの熱烈な愛をもって接する時、イスラエル人も本来の信仰に立ち帰る」との、使徒パウロの悲願が先生に迫《せま》ってきたのではないでしょうか。

手島先生は、大きく動こうとする生きた神の歴史のまっただ中で、聖書を読み、聖史の目標とその方向を指し示して、次のように語りました。

「神のプログラムというものは、決して無目的ではない。着々と一つのモデルケースを示して、神の歴史をお進めになる。創世記《そうせいき》から黙示録《もくしろく》に至《いた》るまで、神様は一貫《いっかん》して歴史に対して目的をもって、摂理《せつり》を進めておられる。

聖書は、私にとって、神学書のような概念《がいねん》の書ではなく、生きた書なのです。二千年、三千年とユダヤ人を励《はげ》ました神様が、今も私たちを励ましておられる。このように聖書が読める時に、ほんとうに聖書を読んでいるのです。歴史を無視《むし》して聖書はわからない」

先生は、エルサレム回復という、またとない歴史の生きた事件のただ中で、このカイロス(特別な時)を逃《のが》すまいと、この連続講話では九章から一一章の主題であるイスラエル民族の救いを大事にして読んでいます。(ただ、なぜか一〇章の講話を残しておりません)

本書の中には、「ユダヤ人の回心」などの表現がありますが、これはユダヤ人をキリスト教に改宗せしめようとする意図ではなく、聖書の歴史を導かれた真の神へのテシュバー(回帰、救い)を指しています。

先生は、ユダヤ教とキリスト教が和解して、共に神に導かれる遠大な未来のビジョンを抱《いだ》いており、そこに、神が日本に興《おこ》された原始福音運動の果たすべき使命を感じていました。そこから説かれるロマ書講話は、今までのキリスト教にない、驚《おどろ》くべき内容だと思います。

本書に何度も出てくるように、ロマ書のクライマックスは八章です。

しかし、この連続講話では八章の後半はスキップして、先を急ぐかのように九章に入っています。そこで八章後半については、一九六五年の勝浦《かつうら》夏期聖会での講話(第一九、二〇講)を充《あ》てました。そのために、この二講は他と語調が多少違《ちが》っています。

また、第二四講「使徒パウロの悲願」、第二五講「異邦人《いほうじん》の時満ちて」、第三二講「ロマ書の結《けつ》論《ろん》」については、すでに『生命の光』誌上《しじょう》などに発表されていますが、録音を聴《き》き直《なお》し、多少編集し直しました。この三講も、他と語調が少し違うのは、発表されたものに加筆しているためです。ご了承《りょうしょう》ください。

編集に協力してくださった、奥田英雄《ひでお》兄、藤原豊樹《とよき》兄、読みやすく纏《まと》めてくださった伊藤正明兄に衷心《ちゅうしん》から感謝申し上げます。

二〇一八年四月

編集責任　疋　田　久仁雄

ロマ書講話　下巻　定価 2500 円（本体 2273 円）

2018 年 5 月 30 日　初版発行

講述者　手　島　郁　郎
発　行　手島郁郎文庫
〒 158-0087　東京都世田谷区玉堤 1-13-7
電　話　03-6432-2050
F A X　03-6432-2051
郵便振替 01730-6-132614
印刷・製本　三秀舎

ISBN 978-4-89606-033-1